上杉鷹山の師

細井平洲

童門冬二

集英社文庫

この作品は、二〇〇九年十二月、潮出版社から『へいしゅうせんせえ』として刊行されたものを、改題いたしました。

上杉鷹山の師　細井平洲

もくじ

上杉鷹山の師　細井平洲

両国橋は青空劇場

江戸の両国橋《りようごくばし》は、明暦《めいれき》の大火（俗に振袖《ふりそで》火事といわれる）以後に架けられた。それまでは軍事上の理由があって、川に橋を架けるのを徳川幕府が禁じていた。しかしこのときの災害があまりにもひどかったので、避難路として橋が架けられた。

両国というのは、武蔵国《むさしのくに》（江戸）と下総国《しもうさのくに》（千葉県）のふたつの国にまたがって架けられたために、こういう名がつけられた。

おびただしい被害者の霊を弔《とむら》うために、回向院《えこういん》という寺が建てられた。そしてその追善興行として、小屋掛けの相撲《すもう》が奉納された。これがきっかけになって、両国橋付近にはいわゆる大道芸人の〝青空劇場〟ができた。講釈・手品・がまの油売り、などの芸能人がそれぞれ芸を競い合う場になった。その芸能人に混じって、自分の学説を淡々と語る変わった学者がいた。聴衆はその学者のことを、

「へいしゅうせんせえ」

と呼んだ。平洲先生が最初この橋のたもとに立ったとき、ほかの芸能人たちは眼をむいた。

「学者のくせに、何で大道芸人のようにしゃしゃり出てきやがるんだ」

とか、

「学問なんてのは芸能にとって余所者《よそもの》だ。追っ払っちまおう」

といって、相当ないやがらせをした。石をぶつけたこともある。

しかし平洲先生は平然として、台の前に立って自分の学説をやさしく説いた。どんないやがらせにもビクともしない平洲先生の気概に、やがて芸能人たちは圧倒された。呆《あき》れもした。

「あのやろうは、いくらいやがらせをしても応《こた》えねえ。まるで暖簾《のれん》に腕押しだ。バカバカしいからやめようじゃねえか」

ということになって、邪魔をせずに見守るようになった。そして不思議なことに、平洲先生の前に立つ聴衆の数は、日を追って増えていった。やがては何百人にもなった。これはほかの芸能人には真似《まね》ができない。どんなに芸がうまくても、ひとりの芸能人が数百人の見物人を集めることは不可能だ。みんな呆れて顔を見あわせた。

「へいしゅうせんせえというのは大したもんだね。ひとりであんなに客を集めちまいやがら。おれたちにはとてもあんな真似はできねえ」

とささやき合った。なかには、自分の芸が暇なもので、

「ひとつ、おれもあの先生の講釈をきいてみるか」

などと物好き半分に平洲先生の講義台の前に立つ者さえ出てきた。聴衆の中に熱心なきき手がいた。

藁科《わらしな》松伯《しようはく》という医者だ。

勤め先は桜田にある米沢藩上杉家《よねざわはんうえすぎ》だ。医者だったが松伯は学問も深い。米沢に「菁莪館《せいがかん》」という私塾を持っている。米沢城の武士がかなり門人になっていた。

その松伯が平洲先生に関心を持ったのは、なんといっても大道芸人に混じって、自分の学説をやさしく説くその学者としての態度にひかれたからだ。

(まったく珍しい学者があらわれたものだ)

と松伯は感じた。はじめは好奇心で二、三回講義をきいた。が、きくうちに感動しはじめた。そしていまは、

(これこそ、ほんとうの学者だ)

と思うようになっていた。それは何よりも平洲先生が、

「学問というのは、いま生きている自分たちにすぐ役立たなければならない」

といういわば〝実学〟を説いたからだ。しかも表現がやさしい。ききようによ

っては、脇《わき》で合戦話《かっせんばなし》を語る講釈師の表現よりもやさしいかもしれない。ムダな言葉がない。それはひとつひとつの言葉を、相当練って吟味して口に出すからだ。

大げさなことはひとつもいわない。はじめ石をぶつけられていた平洲先生が、それをピタリと止《や》めさせたのは、もちろん講釈の内容にもよるが、むしろそれをきいていた一般民衆のほうだといっていいだろう。平洲先生の講義に感動した民衆は、石を投げようとする芸能人に食ってかかった。

「なぜ石を投げる？」

「へいしゅうせんせえが傷を負ったらおれたちが承知しねえぞ」

「口惜《くや》しかったらおめえたちも、へいしゅうせんせえに負けないように芸を磨け」

ときびしい声がとんだ。いってみれば民衆の世論に敗退して、ほかの芸能人たちは石を投げるのを止めてしまったのだ。それほど平洲先生の講義内容はわかりやすく、またためになった。いまは、平洲先生の前に立って話をきく聴衆は数百人に達している。そして平洲先生が、

「きょうは、これでおしまいにしよう」

というと、いっせいに拳《こぶし》を眼に当てて涙をぬぐう始末だった。こういう真似はほかの芸能人にはできない。面白がらせることはできても、感動させることはで

きない。

（そこがほかの芸能人と平洲先生との違いだ）

と松伯は思っている。松伯は、ようやく心を決した。

「日向《ひゅうが》（宮崎県）高鍋《たかなべ》の秋月《あきづき》家から迎えた養子殿の、教育係にはぜひこの先生をお迎えしよう」

と。


当時、米沢藩上杉家は極度の財政難に落ちこんでいた。いま江戸では町人たちがこんな噂《うわさ》を立てている。

「新しく買ってきた鉄製品に、上杉と書いた紙を貼《は》りつけると、たちまち金気《かなけ》がなくなってしまう」

新しい鉄製品には必ず金気というのがあって、いきなり湯を沸かしても、ものを煮ても臭いし、またまずい。そこで江戸っ子たちは、

「新しい鉄製品から、なんとかして早く金気をとりてえな」

と思っている。そこで口の悪いやつが気のきいた冗談をとばした。それが、

「上杉と書いた紙を貼りつけりゃ、新しい鉄製品の金気なんぞはたちまち消えてしまわあ」

ということだ。悪口である。しかしこんな悪口を立てられても文句がいえないほど、上杉家の貧乏ぶりはひどかった。大名の中でも、

「上杉家は自滅するのではないか」

とさえいわれていた。したがって、新しく迎えた養子の秋月松三郎《まつさぶろう》（上杉家にはいって直丸《なおまる》に、元服後、治憲《はるのり》と改名・のちの上杉鷹山《ようざん》）は、次期藩主として、

「米沢藩再建の責任」

を負っていたのである。が、まだわずかに十四歳のティーンエイジャーだ。ふつうの大人藩主でさえそんな重責を負わされれば、満足に責務が果たせるはずがない。にもかかわらず、この少年に多くの期待が寄せられていた。なかには、

「お手並み拝見だ」

と冷ややかな反応をみせている者もいる。長年の貧乏暮らしで、藩士たちも給与が半額支給状況になっているので、やる気（モラール）がとっくに摩滅してしまっている。何か起こっても反応が鈍い。つまり好奇心がすっかり擦り切れていたのである。

こんな状況では、たとえどんな名君が出ても米沢藩の再建は容易ではあるまい、というのが世間一般の見方だった。

藁科松伯は、自分が学者であるにもかかわらず、

「自分にはとても平洲先生のような能力はない」

と感じていた。それは、平洲先生の講義の方法によってであった。きょうも平洲先生はこんな語り方からはじめた。

「さあ、みなみな、よくききなさい。おまえさん方は、学問といえば書物の中にあるとお思いだろう。しかしそれは間違いだ。学問というのは、みなさんが日々きくこと、見ることの中にある。つまり、世間は生きているので、理屈のほうがむしろ死んでいるのだ」

(面白いなあ)

語り出しのみごとさに、藁科松伯は思わず引きこまれてしまう。

松伯はすでに、平洲先生の身元を調べていた。平洲先生は細井平洲といって、浜町《はまちょう》山伏《やまぶし》井《い》戸《ど》で私塾を開いている。前は芝神明町《しばしんめいちょう》にその塾があったが火事で燃えてしまった。そこで浜町に越したのだ。塾の名は「嚶鳴館《おうめいかん》」という。藁科松伯も学者だから嚶鳴の意味は知っている。

「鳥がおうおうと鳴き合うのは、別に愛を語っているわけではない。毎日起こる世の中の問題を議論しているのだ。なぜこんなことが起こるのか、なぜ防げなかったのか、起こった以上どうすれば解決できるのかということを、鳥なりに相談しているのだ。わたしの塾で学ぶ門人たちも、この鳥のように毎日おうおうと議論してもらいたい。おまえさん方で片がつかない場合には、わたしが自分の意見を話そう」

というのが嚶鳴館の教育方針だという。藁科松伯は感動した。

（自分も米沢に菁莪館という家塾を開いているが、通ってくる門人たちに対して、そんなことを一度でもいったおぼえはない。教育者としても、自分は平洲先生にはとてもかなわない）

と思っていた。そして、平洲先生の講釈は毎日ちがう。同じことは二度といわない。きょうもそうだ。平洲先生はこういった。

「おまえさん方は、耳をふたつ、眼をふたつ持っておいでだ。しかしいくらふたつずつ持っていても、良い話をきかねば何の役にも立たぬ。また、眼も良いことを見なければ何の役にも立たない。つまり、眼は開いているが見えないのと同じだ。耳も、きこえないのと同じだ。しかし、何が良いことであり、良い話であるかを見極めるためには、やはり物差しが必要だ。その物差しがすなわち学問なのだ」

（なるほど、たしかにそうだ）

聴衆の中に混じって立ちながら、藁科松伯はひとりでうなずく。

菁莪館で自分はこんな講義をしたことはない。まったく、目からウロコが落ちるというのはこういうことだろう。しかも話でウロコが落ちるのだから、その影響力というか、平洲先生の講義の効能というものはまったく目新しく大したものだった。

「もちろん字の読める者は、書物を読んでその中に書いてあることを学ぶのがいちばん良い。が、書物から学ぶにしても、何が良いことで何が悪いことかという見極めをつけなければならない。この見極めをつけるのもやはり学問だ。そして、書物は一巻や二巻ではない。万巻《まんがん》もある。みなの衆は毎日忙しい。食うのに大変だ。それなのに、万巻もの書物を手にしてこれに読みふけるなどということはとてもできない。そこで、すでに万巻の書を読んだわたしが代わって、みなの衆の物差しになるようなやさしい話をここでさせてもらっているのだ。しかし、わたしの話をきくときにはひとつ頼みごとがある。それは、赤ん坊のような無垢《むく》な心になってきいて欲しいということだ。

わたしの話をきく前に、邪《よこしま》な心を持っていたらそれは何の役にも立たない。だいたい、わたしの話は商売には関係ない。利害損得とはいっさい無縁だ。だからわたしの話をきいてひと儲《もう》けしようと思ってもこれはムダだ。そんな効能はまったくない。とにかく、みなの衆は赤ん坊の心に立ち返って話をきいて欲しい」

そういいながら、細井平洲は聴衆の中に混じっている藁科松伯に視線を投げた。

平洲のほうもすでに松伯の存在を知っていた。おそらく心の中で、

（いったい、どこの物好き医者なのだろう？）

という疑問を持っているにちがいない。学問は深くても医者だから藁科松伯の姿は頭は慈姑頭《くわいあたま》にしているし、衣服も医者のものを身につけている。一目みてお医者さんだとわかる。ここのところ、ほとんど欠席することなく平洲の聴衆の中に混じっているから、自然に目立つ。平洲も、

（どこの医者だか、一度きいてみたいものだ）

と思っている。

しかし平洲がとばした視線は決して藁科松伯に対する嫌悪感ではない。平洲を見返す松伯の視線の眼の底に、温かみと敬愛の念があったからだ。平洲は敏感にそれを感じた。

したがってふたりが交わした視線は宙で激突したわけではない。柔らかく交わった。この日、平洲は、

「わたしの話をきくときは、赤ん坊のような心になって欲しい」

と告げたが、しかしひと捻《ひね》りしてあった。単なる〝素直な心〟ということではなかった。平洲はこんな例をあげた。

「たとえば、赤ん坊が母の懐に抱かれていたときに、母親がちょっと厠《かわや》へいきた

くなる。そこで脇にいた自分の母親に、赤ん坊をみていて欲しいと預ける。ところが、赤ん坊のほうは母親を慕って祖母に抱かれるのを嫌がる。おっかあ、おっかあといってしきりに泣きわめく。祖母は困り果てる。しかし、母親のほうは用を足すのが先だから、泣きわめく赤ん坊の声をきいても戻ってはこない。きちんと自分の用は足す。

その間、赤ん坊を預けられた祖母は弱り果て、しきりにあやす。母親とはちがって、赤ん坊の機嫌をとるようにやさしい声をかける。しかし赤ん坊はバタバタ暴れていうことをきかない。もうどうにも手がつけられなくなった状態になったときに、母親が厠から出て戻ってくる。そしていきなり赤ん坊の頭を張りとばす。うるさいよ、オチオチ用も足せやしない、という。ところが赤ん坊は、頭を張られてもその乱暴な母親にむしゃぶりつき、抱いてもらう。母親も、しようがない子だね、まったく、といいながら祖母に、ごめんなさいと謝る。赤ん坊はもうニコニコしている。

これが人間の自然な心だ。頭を張られても、赤ん坊のほうは母親を憎まないし恨まない。祖母のほうも、預けられた赤ん坊をなんとかして母親が厠にいっている間だけでもお守りをしようと努力する。みんな人間の自然の心なのだ。

こういうように、赤ん坊の心というのは、自然な流露をするものであって、まやかしの愛情や言葉にはごまかされない。みなの衆も、わたしの話をきくときはそういう心で耳を傾けて欲しい」

藁科松伯は思わずうーむとうなる。思いもしない話の展開だ。しかも、細井平洲のいう、

「赤ん坊の心」

というのは、単に、

「混じりけのない心」

ということだけではない。赤ん坊はすでに、母親と祖母とを分けて受けとめている。祖母からはどんなに甘い言葉ややさしい言葉をかけられても、容易には懐かない。頭を張られ、ひどい言葉をぶつけられても、やはり母親にすがりついていく。

これはいわば人間社会には必ず、

「真理」

というものが存在する。赤ん坊は敏感にそれを見抜く。理屈はわからないが見抜く。細井平洲がいうのは、

「そういう真実の心を持って、自分の話をきいて欲しい」

ということだ。もっといえば、

「わたしの話をきいた後は、自分なりにこの世の中における真実・真理を探究して欲しい」

ということなのだ。

両国橋のたもとで、大道芸人に混ざって自分の学説をやさしく説く細井平洲は、この日さらに次のような話をした。それは、

「薬《くす》という女性の物語」

だった。聴衆に混じって藁科松伯がきいた平洲の話を整理すると、次のようになる。

自分（平洲）の知っている女性に薬という者がいた。家が貧しく、ある家に嫁いだが娘をひとり産むと、その娘を連れて家を出た。事情はよくわからない。実家に戻ると、自分の母と妹が病気になって寝ていた。療養費が大変だ。そこで薬は縫物の賃仕事に雇われて、せっせと母と妹の療養費を稼いだ。ところが婚家から連れてきた子どもも病気になってしまった。薬は弱り果てた。そんなとき、親切な隣人がこんなことをいった。

「この間の嵐《あらし》で、川の上流で吹き倒された木が何本も流れてくる。あれを拾えば、何把《なんわ》かの薪《たきぎ》になるだろう。早くいって木を拾いなさい。きっといくらか家族の療養費の助けになるはずだ」

するとと薬はこう答えた。

「ありがたいお話ですが、お断わりいたします。わたしは川へ行って木を拾いません」

「なぜだね」

「親不孝になるからです」

「流れてきた木を拾うことがなぜ親不孝になるのだね？」

「あの薬という女は、病人をたくさん抱えて貧しいものだから、流れてきた木を拾って薪にして売った。まるで盗人と同じだといわれます。そんな噂が立たないように川にはまいりません」

親切な隣人は呆れた。

「おまえさんは変わっているね」

そういって去っていった。この話を紹介した平洲は、

「しかしみなの衆、この話はわたしが人から聞いたときにひどく感動したものだ。この薬という女はじつにあっぱれだ。わたしでさえとてもそんな真似はできない。もしもわたしが薬と同じ境遇におかれたとすれば、よろこんですぐ川へ木を拾いにいっただろう。

ところが薬という女性はそんなことはしなかった。しかもその理由が、

『流れてきた木を拾えば、親不孝になる』

という。こんな考え方はなかなか持てるものではない。みなの衆もどうか、こういう薬のような気持ちで日々を生きていただきたい。これは実際にあった話ですよ。つくりごとでもなんでもない」

平洲はそう締めくくった。もうそのころには何人もの聴衆が、眼からこぼれ落ちようとする涙を押さえこんでいた。平洲はそういう聴衆を見るとこういった。

「いま涙を押さえている方々は、ほんとうに無垢な赤ん坊の心で、わたしの話をきいてくれたのだ。どうもありがとう」

平洲のほうから礼をいった。藁科松伯はここでも感動した。それは、

(平洲先生が話す例は、すべて現実にあったことなのだ)

と思うからだ。つまり、平洲は、

「いま同時代に生きる人びとの、実際にあった話をケーススタディ(事例研究)にしている」

ということなのである。

しかも話の主人公はみんな庶民だ。身近な人びとだ。だから聴衆は親しみをもって平洲の話を聞く。すぐ、

(もし、自分が薬の立場だったら?)

と薬の立場に立つことができ、同時に感情移入ができるからである。

こういう日々がつづいていた。同じ両国橋のたもとに集まる芸能人たちは、平洲の話を聞き終わった後、ヒソヒソと語る。とくに講釈師は反省する。

「おれたち講釈師は、ただ語り継がれてきた種本《たねほん》をそのまま暗記して語っているだけだ。だから人間が生きてこない。血も通わない。絵空事に終わっている。そのため聞いたほうも決して涙なんか流さない。

そこへいくとへいしゅうせんせえはちがう。ほんとうにあった話を、わかりやすい語り口で語ってくださる。あの内容と語り口の方法は、おれたち講釈師も学ばなくちゃいけねえなあ」

と思う。そして手品師に、

「おめえたちなんぞ、すこしはへいしゅうせんせえの爪《つめ》の垢《あか》でも煎《せん》じて飲め。ろくでもねえネタを、おかしくもねえオチをつけてしゃべっているだけじゃねえか。反省しろ」

とからかう。いわれた手品師たちはムッとし、

「おめえたち講釈師だって同じだよ」

とやり返すが、講釈師も手品師も、

「へいしゅうせんせえの真似をしよう」

と思ったことは共通していた。

細井平洲の講釈は言葉を変えれば、

「同じ橋のたもとに立つ大道芸人たちに、他人を感動させるのには、どういう内容をどういう表現で語ればよいか」

ということを教える模範例にもなっていた。

藁科松伯はきょうの話を聞いて、細井平洲は、

「学問は決して書物の中だけにあるのではない。たとえ字など読めなくても、自分が赤ん坊の心を持ってこの世の中に対していれば、見たこと・聞いたことの中から、必ず真理を学ぶことができる。それがほんとうの学問なのだ。だから字が読めなくても、すぐれた学者はこの世にたくさんいる。おまえさん方もそういう学者になりなさい」

といっているのだと思った。藁科松伯もすぐれた学者であるが、

(しかし、平洲先生のような教え方をした事は一度もない)

と反省した。そこでいよいよ今度上杉家に養子に入った、秋月松三郎の教育の師になってもらおうと心を固めた。しかし同時に大きな不安も持った。それは、

(こんな型破りな学者を、藩の重役陣が果たして養子若殿の師に迎えることを認めるだろうか)

ということだ。しかし松伯は、

（そんな気弱なことでどうする。その壁を突破するのがわたしの役割なのだ）

とみずからを励ました。

幕府の非情な大名政策

当時、日本には約二百七十の大名家（藩）があったが、必ず江戸に藩邸を持っていた。

それは、徳川幕府の大名統制が「参勤交代《さんきんこうたい》」と「大名の正妻と世子《せいし》（相続人）の江戸在住」を義務づけていたからである。

「参勤」というのは、時期を定めて大名が江戸にきて、一定期間江戸城に勤務することをいう。「交代」というのは、参勤の義務を終えて領国に戻ることをいう。

正妻と世子の江戸在住が定められたのは、戦国時代以来の「人質」の制度がいまだに残っていたからだ。これによって、大名家は江戸に屋敷を設けざるを得なかった。土地は幕府が貸してくれる。

しかし、大名家の家計は二重生活となり、出費が多い。これが幕府の目的だった。つまり、

「大名には、参勤交代の旅費と江戸滞在中の費用を使わせて、財政力を弱める」

というのが目的だ。

このほかにお手伝いというのがある。これは幕府のおこなう公共事業を、大名たちに命じてアゴアシ（食費と旅費や賃金）などを全部大名の負担にしておこなわせるやり方だ。これも大名家の財政を弱めようとする一策である。したがって江戸藩邸に勤める大名家の家臣たちは、

「いつ、どんなお手伝いが命ぜられるか」

ということを事前にキャッチしなければならない。その情報を得るために、幕府の高官を酒亭に招待しいろいろきき出す。昔よくいわれた、

「官官接待」

である。そのため江戸藩邸に勤務する武士たちはしだいに如才ない処世術を身につけるようになり、酒亭における宴会の座持ちがうまくなった。いわば〝高等幇間《ほうかん》〟的な素質を持つようになったのである。常識ある武士たちはこういう状況を苦々しく眺めていた。

（まるで武士にあるまじき振る舞いだ。まるで花街における幇間だ）

と眉《まゆ》をしかめていた。気骨のある武士は、

「そんな真似《まね》はできない」

ときっぱりはねつける者もいた。そのため大名家の家臣たちの勤務態様は、次

のように分かれていった。

・領国の城に勤め、その地から一歩も離れずに過ごす武士。

・主人が参勤のときは供をして江戸にいき、交代の時期には主人と一緒に領国に戻ってくる武士。

・江戸で現地採用され、渉外事務に従事して領国には一度もいったことのない武士。

などである。三番目の武士は、

「おれにはそんな真似はできない」

と渉外事務をきっぱりはねつける領国から出てきた武士のかわりに、江戸で採用した者だ。そしてこの武士たちは、

「われわれがいるからこそ、領国でものうのうと安心して日々の生活が送れるのだ」

と、情報収集の才能をひけらかし、自慢していた。いきおい、領国の武士との間に対立が起こる。だから、参勤の都度主人の供をして領国からやってきた武士たちとの間に口論や争いが起こった。

場合によっては刀を持ち出す場合もあった。

江戸藩邸の生活が長くなると、どうしても江戸の風俗に従うので服装も立派に

なり、その暮らしぶりも贅沢《ぜいたく》になる。こういう費用は全部領国のほうが負担する。だから、領国での費用と江戸藩邸との費用がかさみ、二重生活によって藩財政はしだいに困窮していった。しかしこれも幕府の狙《ねら》い目であった。幕府にすれば、

「大名家が貧しくなればなるほど、統制がしやすくなる」

と考えるからである。

が、大名家が財政困難に陥ったからといって、徳川幕府は現在の制度のように
「国庫補助金や地方交付税」などは一文《いちもん》も出さない。冷たい眼で各大名家がやせ細っていく様を小気味よい気持ちで見守るだけだ。もう平和な時代なのだから、たとえ大名家がひとつやふたつ潰《つぶ》れたとしても幕府は何の痛痒《つうよう》も感じない。むしろそれを歓迎する向きもあった。

藁科松伯《わらしなしょうはく》が心配したのは、藩の大名家が例外なくこういう状況にあったからである。こんなことがつづけばどうしても藩全体の空気は保守的になり、そして、

「交際術の巧みな武士」

が羽振りをきかせる。そういう武士たちは、

「今夜は勘定奉行《かんじょうぶぎょう》をお招きして、情報をきき出す」

とか、

「ご老中《ろうじゅう》のダレダレ様が、やっと一時《いっとき》（約二時間）だけおつき合いくださること

になった。きょうは大盤振舞《おおばんぶるまい》をしなければならない」

というようなことをいって、いそいそと花街へ出かけていく。

それが真実かどうかは確かめようがない。ただ翌日、

「これが昨夜かかった費用だ」

と請求書を突きつける。その額もほんとうなのかどうかわからない。場合によっては、実際にかかった費用に自分の必要な経費を加えて請求する場合もある。

また、

「勘定奉行やご老中には、ただご馳走《ちそう》するだけではダメだ。賂《まいない》をお届けする必要がある」

と飲食費とは別に多額な費用を請求する。

江戸藩邸の経理は大変だった。領国では、

「江戸藩邸は金食い虫だ。毎晩飲んだり食ったりして贅沢な暮らしを送りながら、そのツケは全部おれたちにまわす」

といきり立つ。しかし領国の武士がいくらいきり立とうと、

「わが藩を無事に保つためには、われわれが苦心して仕入れた情報が基になる」

と江戸側の武士たちは胸を張る。

いわれてみればそのとおりなので、領国の武士たちも面と向かっては文句がい

えない。そして、ツケのしわ寄せがいった分だけまた、増税をしたり、課役《かえき》を増やす。結果、重い負担に喘《あえ》ぎ、苦悶《くもん》するのが領民だ。

とくに農民だ。耐えられない負担が重なれば、農民たちは一揆《いっき》を起こす。この鎮圧に領国の武士たちは苦心惨憺《くしんさんたん》する。そうなるとさらに、江戸藩邸にいる武士たちが恨めしくなる。

藁科松伯が所属する米沢藩上杉家の江戸藩邸には、もうひとつ特性があった。

それは、

「江戸藩邸は、領国での問題児の吹《ふ》き溜《だ》まりだ」

と思えることである。

問題児といっても、別に仕事をせずに文句をいったり不平をいい立てたり、あるいは上のやることにいちゃもんばかりつけるような連中のことではない。

「上層部の不正を正し、正しい行政のあり方をいい募った者」

だ。家老《かろう》の竹俣当綱《たけのまたまさつな》や神保綱忠《じんぼつなただ》・木村丈八《じょうはち》・莅戸九郎兵衛善政《のぞきくろべえよしまさ》・倉崎恭右衛門・佐藤文四郎などである。これらの連中は、すべて藁科松伯の門人だった。かれらが江戸藩邸に集められたのは、みなが正義漢であり気骨のある者で、

「藩の不正は絶対に許さない」

と激しい気持ちを持っているからだった。

そのため保守的な重役陣は煙ったくなり、

「まったくうるさいやつらだ。われわれのやることにいちいち文句をいう。面倒だからまとめて江戸へ送ろう。江戸藩邸で、江戸にいる連中の日々の苦労を見聞きすれば、すこしはあいつらも柔らかくなるだろう」

ということで江戸に送られたのだ。当時は、現在とは違って、地方企業が東京に本社を持つようなことはない。大名家の本社は地方なのである。藩地が本社であって、江戸はすべて支社だ。したがって、武士たちにすればやはり本社である藩地で仕事をし、一生を終わることが望みだった。藩地から江戸藩邸にいった者も、

「一日も早く本社（藩地）に戻りたい」

と考えるのがふつうだった。

なかには、江戸生活が染みこんで、

「野暮ったい藩地にいるよりも、江戸にいたほうが暮らしやすい。また好きなことができる」

と不届きなことを考える武士もいなかったわけではない。しかし藁科松伯の門人たちはすべて、江戸の軽薄な風潮を嫌っていた。そして、

「こういう気風が、江戸から米沢に染みこんだら、米沢そのものも堕落する。絶対にそうさせてはならない」

と合意していた。しかしこういう正義感は理念としてはよく理解できるが、実際行動に移すとなるとなかなか難しい。つまり正義感を貫くということは、

「理念を貫く」

ということであって、短兵急《たんぺいきゅう》にはおこなえない。時間を長くとってジワジワと根気強い積み重ねがいる。

しかしこの連中は必ずしもそういう根気があったわけではない。思ったことは直言した。そのため、米沢領国においてしばしば上層部と激突する。上層部は、

「理屈はわかる。しかし、現実にはそんな理念ばかり唱えていても、藩政は動かない。逆に停滞する。こいつらは、藩政を停止させる厄介者《やっかいもの》だ」

という結論に達した。全員いわば、

「江戸という米沢藩支社への左遷」

が決定された。まとめてトバされてしまった。

名門になった北国の守護神

米沢藩の重役陣にすれば、自分たちがトバしたトラブルメーカーたちの裏には、

「必ず医者の藁科松伯《わらしなしょうはく》がいる」

とみていた。そのため松伯も江戸へ転勤させられた。ところが松伯は医者だから、参勤で江戸に出てくる藩主その他が病気になれば、当然看病の役を負う。つまり存在に対するニーズ（需要）が潜在的にあった。ほかのトバされたトラブルメーカーたちのように、

「藩にとっての有害な存在」

ではない。有害どころかむしろ有益な存在なのだ。これが藁科松伯が江戸藩邸にきても堂々と生き抜けたゆえんだ。そしてその松伯はトバされた連中の良きかばい手だった。トバされた連中も松伯がいるためどれだけ気強かったかしれない。その松伯の存在をさらに重くしていたのは、当主の上杉重定《しげさだ》が松伯ファンだったことにある。いま、その重定の養子となり次の藩主に予定されている上杉直丸の

学問の師の選定を、藁科松伯に任せたのもその証拠だ。

重定は決して名君とはいえない。現在の米沢藩上杉家が、すさまじい財政難に陥った責任の一端は重定にもある。それにしても、上杉家はなぜいまのような赤字だらけの藩になってしまったのだろうか。

米沢藩上杉家の祖はいうまでもなく戦国時代に名将の名を高めた上杉謙信だ。謙信の旧姓は長尾《ながお》といい、越後《えちご》の春日山城《かすがやまじょう》（新潟県上越市）に居を構えていた。そこへ小田原北条《ほうじょう》氏に追われた関東管領《かんとうかんれい》（室町幕府《むろまちばくふ》の関東支社長）だった上杉氏が逃げこんできて、城主の謙信に救援を求めた。謙信は〝義将〟という名を馳《は》せていた。かれみずからは軍陣に常に「毘」の旗を掲げていた。毘というのは毘沙《びしゃ》門天《もんてん》の略だ。毘沙門天は、

「北国の守護神」

である。そのころ長尾と名乗っていた謙信は、みずから領土を拡《ひろ》げるための合《かっ》戦《せん》など一度も起こしたことはない。すべてかれを頼って、

「助けて欲しい」

と逃げこんできた連中のために軍を起こした。関東管領上杉氏は、春日山城に逃げこむと同時に、

「いまの自分にはほとんど無用の長物になった関東管領職と上杉の姓をさしあげ

る」

と告げた。これによって謙信は長尾の姓を上杉に改め、また関東管領のポストを引き継いだ。関東管領は室町幕府の高級ポストである。当時の謙信には悩みがあった。それは、越後国内の諸豪族が常に内紛を起こし、一向にまとまらなかったことである。そのため謙信は一時高野山へ退いたことがある。

「もう政務は嫌だ。遠くから越後国を眺めたい」

と告げた。驚いた豪族たちは集まって相談した。結果、

「景虎《かげとら》殿（謙信）がいなければ、この国はまとまらぬ。詫《わ》びを入れよう」

ということになって、一同誓詞《せいし》を書き血判を捺《お》して、高野山に持っていった。そして、

「どうかもう一度越後国にお戻りください。われわれは今後、必ずお館《やかた》（謙信）の命《めい》に従いますから」

といった。謙信はようやく腰を上げ高野山から下りてきた。そして、上杉氏から関東管領職と上杉の姓をもらった。謙信はほくそ笑んだ。

（この権威が豪族たちをまとめるのに役に立つ）

と思ったからである。したがって謙信が上杉と姓を改め、関東管領職を引き継いだのは、

・始終ゴタゴタを繰り返している越後国内豪族の統一をはかるため。
・もうひとつは、隣国信濃国《しなののくに》（長野県）に侵入して、しきりに地域を制圧している甲斐国《かいのくに》（山梨県）の武田信玄と対抗するため。

という目的があったからだ。侵略者武田信玄に対して関東管領職は上部職だから、侵略者を討つ理由がはっきり立てられる。謙信はよろこんだ。この狙《ねら》いは当たった。国内豪族たちは権威に弱い。いままでの長尾景虎ではなく、新しく上杉と名乗る関東管領職の謙信の前には、平伏《ひれふ》さざるを得なかった。そうなると、謙信に仕《つか》える家臣たちのプライドがしだいに高まる。つまり、

「おれたちは豪族の家来とはちがうぞ。一段格が上だ」

と鼻を高くする。見栄に金を使う。これが上杉家の財政を圧迫する。いってみれば上杉家では、

「プライドは高いが、財政に心を用いない」

という悪い傾向が生まれた。誇りが高くなればそれだけ生活も贅沢《ぜいたく》になる。金がかかる。上杉謙信に仕える家臣たちはいつの間にか、はじめから関東管領上杉家の家臣であったかのように振る舞った。錯覚だ。かれらも元をただせば長尾家という越後国内の一豪族の家来だったのだが、高いハードルをとび越え、別格になってしまった。この気風は江戸時代に入っても引き継がれる。

謙信が死んでその後を謙信の姉の息子だった景勝《かげかつ》が継いだ。当時の天下人《てんかびと》は豊《とよ》臣秀吉《とみひでよし》である。秀吉は自分で、

「大名の鉢植え」

と呼ぶ大規模な人事異動をおこなった。かれは出身が農民だったためにひがみっぽい。そのため、名門を嫌った。だからかれの人事異動の方針は、

「地域に根を張った名門を引き抜いて、他の土地に移し変える」

というものだ。上杉家も狙われた。結局上杉景勝は会津《あいづ》に異動させられた。百二十万石の領地である。越後国に拠点をおいていたときの収入は正確にはよくわからない。しかし少なくとも百二十万石は超えていただろう。やがて秀吉が死ぬと番頭《ばんとう》の筆頭だった徳川家康と石田三成《いしだみつなり》との間で合戦が起こった。関ヶ原の合戦である。このとき上杉景勝のブレーンに直江山城守兼続《なおえやましろのかみかねつぐ》という人物がいた。兼続は上杉謙信に訓育された軍師である。石田三成とは義兄弟の仲にあった。そのため兼続は、主人の上杉景勝に、

・義によって石田三成と同盟する。

・上杉家が兵をあげれば、おそらく徳川家康が軍をひきいて討伐にやってくる。

・そのときは、常陸《ひたち》（茨城県）の名族佐竹氏に連絡し、徳川軍が下野《しもつけ》（栃木県）に入ったら、佐竹氏と挟み討ちにする。

・家康を退治したのちに上方に駈《か》けつけ、石田三成と合流して大坂城を制圧する。
・そして、新しい政治体制をつくる。
という考えを告げた。しかしこれは従来の説で、新しい研究では、

「直江兼続が上杉景勝に相談したのは、家康を迎え討つのではなくどさくさまぎれに越後国の旧領を回復したいがためであった」

といわれる。あるいはこのほうが正しいかもしれない。しかしいずれにせよ石田三成は敗れた。そのため上杉景勝も罰された。大減俸の憂き目にあい新任地は出羽国《でわのくに》(山形県)米沢の地とされた。与えられたのは三十万石である。しかし米沢はもともとは直江兼続が豊臣秀吉から特別にもらった土地だ。したがっていまでいうなら、

「倒産した本社の社長が、無傷だった支社長のところに転がりこんできた」

ということになる。敗戦後直江兼続は潔く徳川家康のところにいった。そして自分の罪を謝し、

「故秀吉公からいただいた三十万石を返上いたします。が」

といってこんなことをいい出した。

「願わくは、わたくしが返上いたします三十万石の地を、領地を失った主人にお

与えいただきとうございます」

「なに」

家康は眉《まゆ》を寄せた。家康の脇《わき》にいた諸将たちは顔を見あわせた。そして互いに眼で、

（直江のやつめ、まったく虫のいいことをいう）

と怒った。しかし家康はニヤリと笑った。そして、

「わかった、望みどおりにしてやろう」

と承諾した。後になってまわりの諸将が家康に、

「なぜ、あんな寛大な処置をおとりになったのですか。直江のやつは、関ヶ原合戦の火つけ役ではありませんか」

と抗議すると家康は笑ってこう答えた。

「直江のようなやつは日本中にたくさんいる。直江を罰すれば、必ずほかの連中が反乱を起こす。面倒だ」

諸将たちはなるほどと納得した。家康のほうが一歩先を読み、さらに天下の状況をマクロに鳥瞰図《ちょうかんず》としてみていたのである。それに、

（直江はなかなかの曲者《くせもの》だ。抱きこんでおけば二度と反乱を起こすことはあるまい）

と思ったからだ。家康は合戦が大嫌いだった。一日も早く日本を平和にしたかった。しかし上杉家にすれば旧領百二十万石を三十万石に減らされたのだから、収入が四分の一に減らされたということだ。ところが前に書いたように上杉家のプライドは高い。したがって景勝も減収にみあうような、いまでいうリストラはおこなわなかった。家臣団はそのまま米沢へ連れていった。ところがさらに上杉家の赤字を増すようなできごとが起こった。それは三代目のときに、相続人を定めていなかったことである。徳川幕府の法律はきびしくて、

「当主が死ぬ直前に届けた養子は認めない」

と定めている。いわゆる末期《まつご》養子の禁止である。それでなくても上杉家はかつて関ヶ原の合戦に徳川家康に敵対した大名だ。

「格好の理由ができた。潰《つぶ》してしまえ」

と幕府首脳部は米沢藩の取り潰しにかかった。ところがこのとき、

「やめなさい。上杉家は名門だ。存続させるべきだ」

と唱えて幕府首脳部の決定に異議を唱えたのが会津藩主保科正之《ほしなまさゆき》だった。正之は三代将軍徳川家光の実弟だ。母がちがうだけだ。したがって家光は正之の存在を喜び、なにかにつけて優遇した。その正之のいうことなので幕府首脳部も引き下がらざるを得ない。しかし正之も苦労人だから、

「とはいうものの、上杉家が幕法に背いて相続人を決定していなかったことは落度だ。罰として収入を半減にしよう」

と告げた。これによって上杉家は三十万石を十五万石に減らされた。ところがこのときもリストラはおこなわない。結局、十五万石の収入で百二十万石当時の人員を養わなければならないという結果を生んだ。しかし、収入増のための年貢《ねんぐ》率引き上げには限界がある。そんなことをすれば今度は農民が一揆《いっき》を起こす。

結局上杉家はそれ以後、有力商人に金を借りて毎年をしのいできた。しかしそれも限界に達している。商人たちは、しきりに、

「今年はぜひ、利息だけでもお納めください」

と迫る。もちろん新規の借り入れは全部お断わりだ。現在でいえば、

「メインバンクはもとより、他の金融機関からも完全にみはなされた企業」

といっていい。倒産寸前だ。こうなるともう、

「上杉家は名門で家格が高い」

などと鼻を高くしてうそぶいてはいられない。

「完全に火の車になってしまった上杉家の財政をどうするか」

ということは緊急の課題になった。しかし、長年の慣習になれた重役たちにもいい知恵はわかない。そんなときに、藁科松伯たちが、

「思い切って、他家から賢い若君を養子にお迎えになってはいかがでしょうか」

と提言した。当主の重定はこれを受け入れた。そして白羽の矢を立てられたのが秋月松三郎といっていた日向高鍋藩主の次男坊だったのである。

上杉家と秋月家は姻戚《いんせき》だった。そんな縁もあった。そして松三郎は子どものときから、

「非常に賢く、子どもながら落ち着いていて言語もはっきりしている。また、財政に関心を持っている」

といわれていた。これは、松三郎の兄種茂《たねしげ》の影響が強い。父の後を継いで秋月藩主になった種茂は、

「藩が富むためには、農業振興以外ない」

と割り切って、しきりに農業振興をおこなった。単に農作物をつくるだけではない。山林事業も盛んにし、またこの当時では珍しい酪農もおこなった。種茂は、

「藩を豊かにすることは藩民を豊かにすることだ」

という理念を持っていた。弟の松三郎が生来強いヒューマニズムを持っていたのも、この兄の影響がかなり大きい。つまり、

「政治を必ず民の目線においておこなう」

という考えははじめから持っていたのである。秋月松三郎が養子に決まると次

に問題になったのが、

「では、若君の学問の師を誰にするか」

ということであった。当主の重定は当然藁科松伯にその任務を命じた。が、松伯は辞退した。

「わたくしの力では、到底藩財政を回復させるようなご訓育はできません。どうぞお許しください」

重定はそのままでは引っこまない。

「では、おまえの責任においてかわりの師を探せ」

と命じた。だからその日以来、藁科松伯は足を棒にして、江戸市中を歩きまわった。どこかに若君のよい学問の師がいないかと探しまわっていたのである。それがたまたま両国の橋のたもとで細井平洲にめぐり会った。一も二もない。松伯は平洲が気に入り、

（この先生以外、若君の師はおられない）

と考えた。そこで平洲に頼むと、平洲は笑いながら承知した。

「いままでは、四国や和歌山などの暖かい国の改革指導は致しましたが、寒冷の地ははじめてですから、わたくしも勉強になります」

と謙虚な対応をした。重定にこの話をすると重定はすぐ承知した。そして、

「あしたからでも直丸の指導をお願いせよ」

と命じた。しかし、細井平洲を上杉家で占有するわけにはいかなかった。つまり専属講師にできなかった。平洲自身が、すでにいくつかの大名家の指導をしていたからである。江戸の藩邸を巡歴するのだが、それも大変だ。したがって、

「桜田にある上杉邸にお伺いできるのは、この日とこの日でございます」

とあらかじめ講義にいく日を決めてもらった。上杉家の江戸藩邸でも、細井平洲を迎える態勢を整えた。藁科松伯の進言によって、細井平洲の扱いは、

「上杉直丸の賓師《ひんし》とする」

と平洲のランクを決定した。さらに重役の竹俣当綱《たけのまたまさつな》や神保綱忠・木村丈八・莅戸善政《のぞきよしまさ》・倉崎恭右衛門・佐藤文四郎などがいっせいに平洲の門下に入った。これは松伯の意志によって、

「若君が平洲先生の講義をおききになるときは、側近も陪席《ばいせき》する」

ということにしようと考えたからだ。もちろん時間さえあれば松伯も同席する。

松伯には、

「若君をはじめ平洲先生の教えを受けた者は、すべて国元に戻っての改革グループとする」

という目論見《もくろみ》があった。上杉直丸に、細井平洲が最初の講義をおこなったのは

明和元（一七六四）年の冬のことである。このとき直丸は十四歳、細井平洲は三十七歳であった。

細井平洲が大名家の当主や世子《せいし》の教育を受け持ったのは、今度の米沢藩上杉家がはじめてではない。いくつかの大名家の経験があった。しかし平洲の指導方針は一貫している。それは一言でいえば、

「藩主たるべき者は常に民の父母でなければならない」

という考えだ。家庭になぞらえれば藩主は家長の父親だ。だから親として、

「常に子どもの立場に立って、その痛みや悲しみを自分のこととして味わい、対応策を考えていく」

ということである。今度藩医藁科松伯の請いによって、日向国高鍋の藩主秋月家から養子に入った上杉直丸の教育を引き受けるに当たっても、平洲は最初に藁科松伯にこのことを告げた。松伯はうなずいた。

「両国橋のたもとで、わたくしは何度も先生のご講義をきいております。おっしゃることはよくわかりますので、どうか思いのままに直丸様をご指導ください」

江戸桜田にある上杉藩邸にいった細井平洲は、はじめに重役陣に集まってもらって、

「わたしが直丸様をご指導申し上げる考えのいくつかを申しあげます。ご重役方

にまずご了解をいただきたい」

と申し入れた。集まったのは藁科松伯ほか、家老《かろう》の竹俣当綱・莅戸善政・木村丈八・佐藤文四郎などである。佐藤文四郎は直丸の小姓《こしょう》（秘書）をつとめているという。しかしいずれにしても、この面々は米沢本藩から追放されたトラブルメーカーの群れである。その群れがよってたかって養子の直丸を育て上げようとするのだ。その期待を担って実質的に指導に当たるのが細井平洲だった。平洲はいった。

「わたくしはいま両国橋のたもとで街頭講釈をおこなっております。こちらに伺うに当たってもこの街頭講釈をつづけさせていただきます」

了解を求めているのではない。そうしますという宣告だ。集まった連中の幾人かが思わず顔を見あわせた。おそらく、

（名門上杉家のご養子様の指導に当たる学者が、両国橋の街頭で芸人と一緒になって辻講釈《つじこうしゃく》をおこなってよいものか）

と案じたのだ。しかし藁科松伯がピシャリといった。

「承知いたしました。どうぞそのままおつづけください。いいな？」

集まった面々は本国米沢においては藁科松伯が経営する学塾の門人だ。文句はいえない。みんなハイとうなずいた。しかし武士たちの表情の一部にためらいを

感じた平洲はこう告げた。

「わたしが両国橋の街頭講義をやめない理由は、日々変化する庶民生活の実態をこの身で感じ、そのまま直丸様にお話ししたいからです。たとえこの藩邸内においでになっても、町の空気をお伝えしなくてはやがて藩主におなりになるお立場がきちんと保てません。そしてわたし自身も、日々変化する町の実態をわきまえなければ、直丸様へのご指導をできかねるからです。おわかりいただけますね」

念を押した。武士たちはいっさいのためらいを捨ててはっきりうなずいた。平洲の教育方針の片鱗《へんりん》に触れたからである。平洲が考えたのは、

「わたしの指導は直丸様だけにおこなうのではない。まわりを取り巻くあなたたちに対してもおこなうのだ」

ということである。

「治者《ちしゃ》は常に民の父母でなければならない」

という平洲の信条は、なにもトップだけがわきまえればよいというものではない。まわりを取り巻く補佐役もそういう考えに立たなければダメだ。そしてトップに欠けるところがあれば、側役《そばやく》たちが心を揃《そろ》えて補完をする義務がある。それが補佐役の責務なのだ。平洲はそう考えていた。

いままで歩いてきた大名家においても、かれはそのことを主張した。わかる藩

もあったがわからない藩もある。わからない藩は結局はダメになってしまう。そういう実態を何度もみているから平洲は、今度の米沢藩の指導についても、

「自分の考えは絶対に変えない」

と思っている。それは、ソフトのようだがじつは内実のボーン（骨）の部分は非常に硬度が高い。骨太なのである。ただ、表面の肉や皮を柔らかく親しみやすいようにしているだけだ。細井平洲の芯《しん》はじつに強い。そしてその芯の強さは、両国橋のたもとで鍛えている。その自己鍛錬をやめるわけにはいかない。

平洲はもうひとつ、

「町で見聞したできごとを極力直丸様にお伝えしよう」

と考えている。だから整理すれば平洲の少年直丸に対する指導方針は次のようになる。
・両国橋の街頭講義はやめない。これによって得たきき手の反応をそのまま直丸様に伝える。
・同時に、藩邸の外で起こっているできごとをも極力直丸様に伝える。日々変化する現実との隔たりを感じさせないためだ。
・それを前提としたうえで、主として朱子学《しゅしがく》による講義をおこなう。つまり「民を治《おさ》める立場に立つ者はどうあらねばならぬか」という精神鍛錬をおこ

なう。

・したがって、藩邸内でおこなう学術指導は、藩邸外のできごとや世の中の変化との交流をおこなうということになる。現在の言葉を使えば電子工学における出力と入力の〝フィードバック〟だ。

・そうしなければ、藩邸内でおこなう学術の勉学も役に立たない。

・平洲が直丸様に望むのは、あくまでも「学問と実践の一致」である。

直丸に対する今後の指導方針が合意されると、竹俣当綱が苦笑しながらこういった。

「細井先生、これは直丸君《ぎみ》だけではなく、われわれ自身も勉学しなければなりませんな」

「そのとおりです」

平洲も微笑を返しながらうなずいた。竹俣を見つめ、

「そこにお気づきいただいたというのは、さすがにご家老です」

「いや、お褒めにあずかって恐縮です。しかし、それはもしかすると先生の皮肉ですな」

人間通な竹俣はそう笑った。平洲も笑い返した。しかし竹俣のいったことは事実だ。平洲は、

(自分の講義は、できるならば直丸様の側近たちもきいて欲しい。一緒に勉学して欲しい)

と思っていた。その平洲の心を敏感に見抜いたのだろう、竹俣がまわりを見まわした。そして、

「時間の許す限り、われわれも細井先生のご講義をうかがおう。もちろんこれは直丸君のご了解を得てのうえだが」

そう告げた。みんなうなずいた。そしていっせいに平洲に視線を向けた。さっきとはちがい完全にいまは平洲に対する尊敬の色が眼の底に輝いていた。平洲は手応《てごた》えを感じた。

(これなら大丈夫だ)

と思った。大丈夫だというのは、

(こういう側近たちがまわりにいれば、直丸様もきっと正しくお育ちになるにちがいない)

と感じたからである。平洲自身もこの連中が米沢本国から追放されたことは知っている。しかし初対面でたちまち、

(この連中はすべて正義の武士だ)

と感じた。米沢本国ではその正義が通用しないのだ。ということは、本国にも

相当問題がある。直丸はやがてそこへ乗りこんでいくのだ。

きっと多くの軋轢《あつれき》があるにちがいない。しかし、トップである以上たとえ若くてもそれを突破しなければならない。その突破できる力をわたしが育てるのだ。

細井平洲はそう心を固めた。

初講義

初講義の日、江戸桜田の上杉藩邸で細井平洲ははじめて直丸に会った。直丸は十四歳である。眼の涼しい凜《りん》とした顔立ちの若君だった。

「あ、これは先生」

上座にいた直丸はすぐ下座へ自分の位置を変えた。

「どうぞあちらへ」

と平洲に上座を示した。そして丁重に礼をし、

「上杉直丸でございます。どうぞよろしくご指導ください」

と挨拶《あいさつ》した。平洲は驚いた。

「若君、こちらへお座りください」

と上座を示したが直丸は首を横に振った。そしてニッコリ笑い、

「きょうからわたくしは先生に学問を学ばせていただきます。どうか、師として
そちらにお座りください。そうなさらないとわたくしも居心地が悪うございます

ので」

といった。柔らかい口調だが言葉の内容はしっかりしている。平洲は思わず、

（これは教《おし》え甲斐《がい》があるぞ）

と心を弾ませた。この日平洲は直丸にこう告げた。

「わたしが若君にお伝えする学問の目的は実践の二字以外ございません。学理と行動はひとつであって決してふたつではございません」

輝く瞳《ひとみ》で平洲を見返す直丸は大きくうなずいた。そして、

「よくわかります」

と応じた。そこで平洲はさっきまで家老《かろう》たちと話し合った〝指導方針〟の内容を告げた。それは、

「わたしの指導は、こういう方針に基づいておこないますよ」

という宣言でもあった。つぶらな瞳のまま直丸はじっと手を正座した膝《ひざ》の上において耳を傾けた。

一項目終わるたびに無言でうなずいた。その理解力は確かなもので手応《てごた》えがあった。平洲は安心した。

かれは自分が両国橋のたもとでの街頭講義をつづけることも話し、町で見聞した事柄を講義に事例研究（ケーススタディ）として使うことも告げた。これをき

くと直丸はうれしそうな表情になった。

「そこまでいき届いたご指導をしていただけるわたくしは、本当に幸福者でございます。なかなか思うように藩邸の外に出られないものでございますから、先生のご見聞を楽しみにしております」

完全に平洲の話を消化してうなずいた。平洲は安堵《あんど》した。そこで、

「こちらでは、まず教材として『貞観政要《じょうがんせいよう》』を使わせていただきます」

といった。直丸はうなずいた。平洲はその反応をみて、

(若君はすでに『貞観政要』をご存知だ)

と感じた。そこで、

「お読みになったことがございますか」

ときいた。直丸はうなずいた。そして、

「秋月の家におりましたころ、兄から教えられました」

と答えた。

直丸の実家は日向高鍋藩で三万石の小藩だ。しかし現当主の秋月種茂は地元だけでなく江戸城内でも〝名君〟の呼び名が高かった。藩政改革を積極的におこない、藩財政を豊かにしている。土地の特性をみきわめ、農業・山林事業・漁業さらに酪農までおこなっているという。しかも種茂は学問を重んじ、

「すべての源は学問にある。そしてその実践にある」

と先に立って学問を大切にした。細井平洲も秋月種茂の噂《うわさ》はよくきいた。直丸はその実弟だ。したがっていま、

「兄から『貞観政要』の教えを受けました」

ということはウソではあるまい。『貞観政要』というのは、古代中国の唐《とう》の太《たい》宗《そう》が侍臣《じしん》と交わした対話集である。日本では「帝王学に欠くことのできないテキスト」として扱われている。徳川幕府の創始者家康が、

「国を治《おさ》める者は、必ずこの本を読む必要がある」

といって、常に手元から離さない座右の書でもあった。平洲はうれしかった。

「それは心強うございます。兄君からはどのようなことをお学びになりましたか」

ときいた。直丸はこう答えた。

「君は船、民は水だと教えられました。したがってよい政治をおこなっているときに水はよく船を支えますが、いったん悪い政治をおこなえば水は怒って波を立て、船をひっくり返すと教えられました。水を怒らせぬように決して悪政をおこなってはならぬ、と戒められました」

「まことにそのとおりでございます。兄君はご立派です。よい兄君をお持ちにな

りましたな」

「はい。こちらへ参りましてからもなにくれとなく導いてくださいます。兄はすばらしい人物です」

直丸は素直にそう応じた。平洲は、

（この若君にはすでに十分な呼び水が用意されている。初歩からお教えする必要は何もない）

と思った。しかし平洲はこういった。

「『貞観政要』にはふたつの主題（テーマ）がございます。ひとつはいま若君がおっしゃった君は船、民は水の考え方でございますが、君が安定した船になるためには、もうひとつの主題である下からの諫言《かんげん》をきちんときくこと、ということがございます」

「それも兄から教えられました。したがって、わたくしはこの上杉家に参りました以上、上杉家の家臣たちの諫言を謙虚にきくつもりでございます」

「よいお心がけです。お目にかかりましたところ、若君はよい補佐役に囲まれておられます。この補佐役たちの正しい諫言を、たとえ耳に痛くても、また苦い薬であっても嫌がらずにお受けとめになることが大切だと思います」

この日は申し合わせに従って、藁科松伯《わらしなしょうはく》・竹俣当綱《たけのまたまさつな》・莅戸善政《のぞきよしまさ》・木村丈八・

佐藤文四郎などがずらりと下座に控えていた。一緒に平洲の話をきいていた。かれらはさっきから圧倒されていた。

それは平洲の〝話の進め方〟の妙技に対してである。さすが両国橋のたもとで街頭講釈をおこなっているだけに、平洲の話法は、

「難しいことをやさしく語る」

ということに徹している。しかも余計な枝葉《しよう》がない。枝葉というのは形容詞や副詞句のことだ。肝心な幹だけで話を進めていく。したがってはかどりが早い。竹俣当綱たちは顔を見あわせた。眼で、

(すばらしいな)

と感じ合った。かれらは反省した。それは、江戸藩邸内における日常業務についても、いわゆる〝役人用語〟をとび交わせ、

「やさしいことをわざわざ難しい言葉を使って語る」

ことが多かったからである。その意味ではまず初日から平洲が狙《ねら》った、

「若君だけでなく、若君を囲む補佐役の教育も同時におこなう」

という試みはピタリと当たっていた。なによりも平洲がうれしかったのは、直丸だけでなく側近たちも平洲の講義に多大な興趣を抱《いだ》いたということが感じ取れたからである。つまりいまの言葉を使えば、

「教師の講義に興味を持った」

　ということだ。砕いていえば、

「平洲の講義を楽しんできいている」

　ということなのである。平洲は教育にはそれがいちばん大事だと思っているから、この手応えはうれしかった。

「きょうはひとつ、その諫言で面白い話をさせていただきましょう」

　平洲のほうも興に乗ってそんなことをいい出した。

「どうぞ、お願いいたします」

　直丸は居ずまいを正した。

　やがて米沢藩主になる直丸の学問指導のテキストとして、細井平洲は『貞観政要』を使っている。

　この本の二大テーマは、ひとつは「君主と人民の関係」であり、もうひとつは「君主は家臣の諫言をいかにきくか」ということだ。

　君主と人民の関係は〝船と水〟にたとえられて、これは講義をするまでもなく直丸はすでに知っていた。そこで平洲は今度は「部下の諫言をどうきくか」ということに触れることにした。しかし、若い直丸はきちんと座ったまま膝をくずさない。平洲は心の中で、

(こんなに無理をなさると、やがて足がしびれてしまう)

と感じた。そこで、

「若様、もしおつらくなりましたらどうか膝をおくずしください」

と告げた。

「ありがとうございます」

直丸はそう応じたがその意気ごみは、

(たとえ講義が何時間続こうと、膝は絶対にくずさない)

と思っていることがありありと窺《うかが》えた。平洲は、

(まったくこの若君は礼儀正しい)

と改めて感じた。直丸がきいた。

「先生、今度はどういうお話でございましょうか」

「紀伊和歌山藩の付家老《つけがろう》安藤直次《あんどうなおつぐ》様のことでございます」

「付家老というのは何でございますか」

「神君《しんくん》徳川家康公は、徳川本家に相続人が絶えた場合のことをおもんぱかって、御三家《ごさんけ》というのをおつくりになりました。尾張《おわり》徳川家・紀伊徳川家・水戸《みと》徳川家の三家でございます。

この御三家をおつくりになったときに、それぞれご自身の九男・十男・十一男

を城主になさいました。尾張には九男の義直《よしなお》様、紀伊には十男の頼宣《よりのぶ》様、そして水戸には十一男の頼房《よりふさ》様をおあてになりました。しかしそれぞれお若かったので、特別に家康公が心をとめておいでになった直臣《ちょくしん》を、補導役としておつけになりました。これが付家老でございます。紀伊和歌山城には安藤直次様がさし向けられました」

「わかりました」

直丸は素直にうなずいた。平洲はつづけた。

「若君もご存知のように、神君家康公は大坂城をほろぼされた後、元和偃武令《げんなえんぶれい》をお出しになって、日本国の経営方針を〝平和〟とお定めになりました。元和というのはそれまで慶長《けいちょう》といった年号を改められたもので、〝平和のはじめ〟と解釈できましょう。偃武というのは、武器を倉庫に納めて鍵《かぎ》をかけ二度と出さないという意味でございます。

したがって家康公は日本国内では二度と戦争を起こさない、また起こさせないというお考えをそのままお示しなされたものでございます。

この元和偃武令の中に〝一国一城令〟というのがございます。ひとつの国に城はひとつしか認めないというお考えでございます。したがって紀伊国にはすでに和歌山城がございましたので、一国一城令に従えばほかに城を造ることはできません。ところが家康公は、安藤直次様に特別に田辺城という城をお与えになりました。しかも三万八千石という破格の給与もお与えになりました。

こういう例は紀伊国だけではなく、ほかにも例がございますが、紀伊国にすれば一国二城になったわけでございます。それだけ家康公の安藤様に対する期待が大きかったと申せましょう。

この安藤様が『貞観政要』における諫言を常にお続けになりました。というのは、主君の頼宣様がまだ戦国の気風を失わぬ猛将だったからでございます。その言行には、しばしば常の道からはずれるようなことがございました。そのたびに安藤様がきびしい諫言をなさったのでございます」

「どんな例がございましょうか」

直丸が多大な関心をもってきいた。膝を乗り出している。その顔を見返した平洲は、突然言葉の調子を変えた。平洲は声を張りあげてこんなことをいい出した。

「皆よう聞かっしゃれ。学問というものは、いかいこと（たくさんの）書物を読んで、その書物にあることを、こういうことはこの道理、こうあることはこのわけと、その書物のうえで合点《がてん》をして、良いと悪いという道理をわかることじゃ」

ときいていたのは直丸だけではない。家老の竹俣当綱・莅戸善政・木村丈八・佐藤文四郎などの、米沢本国からハジキ出されたトラブルメーカーの群れが顔をそろえている。みんなびっくりした。思わず顔を見あわせた。

（細井先生は、おかしくなったのか？）

という表情をした。平洲は笑った。そして、

「これが、わたしが毎日両国橋のたもとでおこなっている講義の口調でございますよ」

みんなは呆《あき》れて平洲の顔を見た。しかし納得した。それぞれが、

（そうか）

と気がついた。というのは、平洲は上杉直丸に講義をおこなう条件として、

「毎日おこなっている両国橋の講釈も続けたい」

といい出して、その承認を得ていたからである。しかし、いまなんのためにこの米沢藩の江戸藩邸で、突然両国橋のたもとでやるような講釈の口調をはじめたのか、みんなには理解できなかった。それぞれの疑問を代表して竹俣当綱がきいた。

「先生、両国橋のたもとにおける講釈のご口調はわかりますが、なぜこの藩邸でそれをなさるのですか」

「そのことです」

平洲はニコニコ笑いながら竹俣当綱を見返して、こういった。

「両国橋のたもとで、わたしの前に集まる聴衆たちは、この口調をよろこびます。こういう話しかけをしないとわたしの話をきいた気にならないのでしょう。じつを申せば、わたしがこういう語りかけをするのには理由があります。それは、話す内容がたとえ難しくても、必ずわかりやすいように砕いて話をするからです。つまり、やかましくいえば内容がどんなに良くても、表現に工夫がなければ一般の聴衆の耳には残りません。そのことは、逆にいえばわたしのほうに聴衆に対する愛情がないということです。どうしてもこの話を相手に伝えたいと思ったら、相手の立場に立って理解できるような話法を工夫する必要があります。これから紀伊藩の付家老安藤様のお話をいたしますが、その前にわたしの講義の意図をきちんと皆様方にもご理解いただきたかったからです。あえて、こういう口調で申し上げましたが、他意はありません。ご理解ください」

「………」

竹俣当綱は無言で直丸の顔を見た。直丸は微笑している。というのは、細井平洲のいうことを完全に理解しているからだ。

直丸は突然平洲が妙な声で、妙な話し方をしたことを別に意に介していない。

直丸は全面的に平洲を信じている。したがって、平洲がどのようなことをしようとも自然に受け入れる。その点、こだわりを持った家臣団のほうがまだ平洲を完全に理解していない、といえるのだ。竹俣当綱はそういう事情を自分なりに考えた。平洲がいまいった、

「たとえどんなよい内容であっても、表現が難しければ一般には理解できない。相手側の身に立って、どういう話し方をすれば理解できるかを工夫することが大切だ。それが人間に対する愛情なのだ」

という言葉は胸の中に残った。竹俣当綱は家老だから、

（なるほど。細井先生はそういうお気持ちを持って、若君をご指導なさっているのだ）

と感じ取った。竹俣当綱は直丸にきいた。

「若君、細井先生のお話をいまの両国橋方式でもう少し伺いましょうか」

「ぜひ、そうしていただきたいと思います」

直丸は眼を輝かせて大きくうなずいた。竹俣当綱は細井平洲に頼んだ。

「先生、いまの調子でもう少しお話しくださいませんか。われわれも、両国橋のたもとに立った聴衆になって承りたいと存じます」

「それは重畳《ちょうじょう》です。ではお言葉に甘えてもう少し続けさせていただきましょう。両国橋のたもとに集まる人びととはちがったきき手を相手にするのはまた違った

趣きなので、わたし自身の勉強にもなります」

「恐れ入ります。どうかわれわれのわがままをお許しください。みんな、いいな？」

竹俣当綱はまわりにいる問題児たちに顔を向けた。みんないっせいにうなずいた。

「ぜひ、お願いいたします」

「わかりました」

平洲は姿勢をただすと、ふたたび、

「皆よう聞かっしゃれ」

とはじめた。

「わしも書物に目をさらして、これまで学問をして上々様《うえうえ》へも御指南申し上げることだが、さてその書物というものが、五巻や十巻や百巻や二百巻というような限りのあることではない。数万巻《すうまんがん》のおびただしい書物だ。すれば講釈などというて、一日や二日や十日や三十日で、その講釈というものがくわしくなるものではない。なれば、ただ一日や半日いうてことのすむものではない。よって皆々へ咄《はな》しをしてきかせるのだ。とくとようきこうぞや。よう合点のなるようにいってきかすのだ。

耳はふたつ持ってもきかねば役にたたぬ。目はふたつあってもよく見ねばないも同じことだ。耳にきくもうわの空にきき、目に見ても何のことやら、うかうかと見ては役にたたぬ。書物を見て学問する者は、書物を相手にして、ここに書いてあることはこの訳、こうあることはこのいわれと、その書いてあることを相手にして、合点し学問することじゃが、書物をよく見ることのならぬ者もいちいちきょうあること、きくことが皆学問になることと思わっしゃれ」

まるで立て板に水を流すように滔々《とうとう》と語り続けた。

きいている竹俣当綱たちは胸の中で、

(たしかに細井先生は、良いことをわかりやすい言葉で告げておられる)

と感じた。だからこそ両国橋のたもとでほかの芸能人よりもたくさんの人びとが耳を傾けるのだといまさらながら感じた。同時に、

(先生は、われわれにもふたつの耳を立て、両の眼を開けと戒めていらっしゃるのだ)

と感じた。いまここにいるきき手の中で、細井平洲のいうことをもっとも完全に理解しているのはやはり直丸だ。平洲はその直丸を頼もしく思いながらも、

「若君を補佐するあなた方も、若君以上の理解力を持ってわたしの話をきいて欲しい」

と告げているのである。だからこそ、突然、毎日両国橋のたもとで庶民に語りかける話法を使って、家老以下の家臣団を脅しつけたのである。米沢本国から追い出されたトラブルメーカーたちも、正確に平洲の意図を理解した。

この日、平洲が直丸たちに語った「紀伊藩付家老安藤直次の話」は、平洲自身がその著『小語《しょうご》』の中で、次のように書き記している。

「余《よ》（平洲自身のこと）、初めて米沢侯《こう》に見《ま》みえしとき、侯は世子《せいし》たり。余、語りて曰《い》わく、紀の南龍公（紀州藩主徳川頼宣のこと）は、股《また》に痕《あと》有り。浴する毎《ごと》に之《これ》を拭《ぬぐ》われず、侍臣《じしん》、之を問うに、曰わく、『昔、我、侍者《じしゃ》に怒ること有り。刀を執りて之を撲《う》つや、刀室《とうしつ》、砕けたり。安藤直次、之を聞きて朝し、直《ただ》ちに進んで座に上り、吾《わ》が股を痛掐《つうとう》して曰わく、其《そ》れ此《か》くの如《ごと》きは、能《よ》く社稷《しゃしょく》に主たらんや』と。

去るに及んで之を見れば、裳《も》も併《あわ》せ裂けたり。是《こ》れ其の痕なり。『嗚乎《ああ》、直次の死するや久し。我も亦《ま》た老いたり。日《ひ》び、痕の滅するを見る。故に敢《あ》えて拭わざるなり』と。侯、之を聞きて、涙、数行下りたり。良久《ややひさ》しくして曰わく、『其の直臣に於《お》けるや、其れ斯《ここ》に至るか』と。余、是《ここ》に於いて、侯を知りたり」

（わたしが初めて米沢の鷹山公にお会いしたとき、鷹山公はまだお世継ぎであった。わたしは次のお話をした。紀州家の祖徳川頼宣公は股に傷跡をお持ちだった。

お風呂《ふろ》にはいられたときいつも拭《ふ》かれない。近臣がその理由をおききすると、公はこうおっしゃった。「昔、近臣に腹を立てることがあって、刀でなぐりつけると、刀のさやが割れてしまった。これをきいた安藤直次がすぐやってきて、ツカとわたしの席にやってくると、わたしの股をきびしく打ち叩《うたた》いていう。このようなことをなさるのでは、お家のご先祖様に申し訳が立ちませぬぞ」。直次が去ったあと、叩かれたところをよく見ると袴《はかま》もひどく裂けていた。この股にある黒いアザがその傷跡なのだ。「ああ、あの直次が死んでから久しい。わたしもまた老いた。一日また一日と、この傷跡が薄くなってゆくのがわかる。だからどんなことがあっても、拭かないようにしている。直次のあの言葉を忘れないためだ」。鷹山公はわたしのこの話をおききになると、涙をハラハラとおこぼしになった。そしてしばらくしてこうおっしゃった。「諫言をする忠義の家臣という者は、こんなにまでするものだと驚き感じ入ります」と。これを見てわたしも鷹山公の人となりにはっきり触れたという実感を持った）

さらに細井平洲は同じ『小語』の中で、家老の竹俣当綱についても次のように書いている。

「米沢の政卿《せいけい》、竹俣当綱君端は、直言を抗《あ》げて傾危《けいき》を回《かえ》し、姦邪《かんじゃ》を誅《ちゅう》して国害を除き、新政を止《とど》めて旧章《きゅうしょう》に復せしめ、忠良を挙げて諂佞《てんねい》を退け、孝悌《こうてい》を賞して親睦《しんぼく》を励まし、学政を興して賢俊《けんしゅん》を育し、奢靡《しゃび》を抑えて節倹を制し、農桑《のうそう》に勉《つと》めて財用を足らわす、皆、其の力なり。初め、余を聘《へい》して世子に師とす。

其の東帰《とうき》するに及んで、世子、言を乞《こ》う。当綱、対《こた》えて曰わく、『臣、聞く、〈要言《ようげん》は煩《わずら》わしからず〉と。請う、姑《しばら》く之を思わしめよ』と。行くに臨んで、曰わく、『要言は如何《いかん》』と。当綱曰わく、『臣、思いて一言を得たり』と。世子曰わく、『何如《いかん》』と。当綱、拝し稽首《けいしゅ》して対えて曰わく、『紀子《きし》の講を熟聴《じゅくちょう》されんことを』と」

（米沢藩の政治家竹俣美作《みまさか》当綱、字《あざな》君端は、現実を直視する言葉を採用して、危うく傾きかけた藩をもとにもどし、悪人を亡ぼして藩国の害毒を取り除き、新しい政治のやり方を停止して祖先以来のやり方にもどした。善良忠義の臣を登用しておもねりへつらう者を遠ざけ、親孝行な者や年長者に従順な者を褒めて仲睦《なかむつ》まじくすることをすすめ、学校を再興して教育を盛んにし、人よりすぐれた才能を持つ人材を育て、身分不相応な華美を抑えて倹約の制度を定め、耕作養蚕《ようさん》から広く農業を振興して藩財政を再建した。それらはみな、竹俣殿の働きなのである。はじめ、竹俣殿はわたしを招いて世子鷹山公の師とした。

東方の米沢へはじめてお帰りになるに当たって、公は、竹俣に励ましの言葉を欲しいとおっしゃった。このとき竹俣当綱は「わたしは『要点を押さえた言葉というものは、長々と説明しなくても意味がよくわかるものだ』ときいております」といい、「ちょっと考えさせてください」といった。いよいよ公が出発するときに、公はふたたびおききになった。「この間たずねた要言はどうなったか」。竹俣はこう答えた。「考えた末、一言得ました」。「それはどんな言葉か」。当綱は平伏してこうお答え申し上げた。「どうか、細井平洲先生のお話をよくおききくださいますように。わたしの要言はこの一語に尽きます」）

この文章で、上杉治憲と、家老の竹俣当綱のやり取りが眼に浮かぶようにわかる。

「細井平洲先生のお言葉を身にしみて聞くことでございます」

ということはとりもなおさず、

「若君（治憲）がそのときそのときにおかれた状況に応じて、いろいろと細井先生からお教えを乞うべきでございましょう」

という意味だ。竹俣当綱は完全に細井平洲を信頼していた。

「平洲先生こそ、危機山積の米沢にお入りになるに当たって、若君のいちばん支えになるお方だ」

と感じ取っていた。このへんの上杉治憲・細井平洲・竹俣当綱の三人が結んだ〝固い心の絆《きずな》〟はじつに美しい。人間信頼の極みだ。それはとりもなおさず三人

が、

「米沢で苦しんでいる民をいかにして救うか」

という一点に心を集中させていたからである。私心はまったくない。ひたすらに民を思う心だけで米沢藩政を考えていた。上杉直丸が治憲と名乗ったのは、明和三（一七六六）年七月十八日に、第十代将軍徳川家治《いえはる》に会い、家治から「治」の一字をもらったときだ。そして、明和四（一七六七）年四月二十一日に、現藩主上杉重定は幕府に隠居願いを出した。願いの内容は、

・わたくしは当年四十八歳になりました。

・まだ老年というのには早うございますが、持病があってこの春以来苦しんでおります。

・長く座ることも思うに任せず、お勤めが難儀になりました。

・ついては、わたくしに隠居を仰《おお》せつけられ、養嗣子《ようしし》に家督《かとく》の儀を仰せつけられれば、ありがたき幸福に存じます。

というものだ。養嗣子というのはいうまでもなく治憲のことだ。このとき治憲は、十七歳であった。三日後の四月二十四日に願書は受け入れられ、上杉治憲は正式にこの日をもって第九代の米沢藩主になった。重定は大殿様と呼ばれ、治憲がお館《やかた》様と呼ばれるようになる。

しかし、治憲が実際に米沢に入国するのは明和六（一七六九）年十月二十七日のことであって、二年半ばかりは、依然として江戸の桜田藩邸にいた。これは、師の細井平洲といろいろ相談をし、

「お国入りは準備万端を整えたうえで、慎重にされたほうがよろしかろう」

という平洲の意見に従ったものである。藩主に就任した日、上杉治憲は一首の歌を詠んだ。

受次《うけつぎ》て　国のつかさ（藩主）の身となれば
　忘るまじきは民の父母

いままで平洲から散々叩きこまれてきた、

「藩主は民の父母でなければならない。自分の子に対するように、民の痛みや悲しみを自分のこととして受けとめ、それに対しやさしい手をさし延べるべきだ」

という教えをそのまま歌にしたものである。平洲は治憲に対し、しばしば「君徳とは何か」ということを教えた。次の一文はその代表的なものである。

「君徳とは何をいうや。

爵位《しやくい》の貴きにも驕《おご》り給《たま》わず、国郡の富にも奢《おご》り給わず、君は万民の父母となり

給わねば、天に奉ずる職分に違《たが》い、祖先に受嗣《うけつ》ぐ孝道に背くという所を、露の間もわすれ給わず、忠諫の言をみち引き、柔弱佞媚《にゆうじやくねいび》の臣を遠ざけ、面諛《めんゆ》（おべっか）の言をふせぎ、先祖の功業を失わぬように子孫の興衰をはかりて、老を敬し幼を憐《あわれ》み、孝悌の人を賞し、鰥寡孤独《かんかこどく》の民を恵み、郡有司の賢否を審《つまびらか》にして、小過をゆるし成功をはげまし、封内風俗の美悪を一身の苦世話に持給《もちたま》いて、明暮《あけくれ》にたゆみ怠り給う心なきを君徳とは申すなり。

但し君徳は古先聖王の遺訓に随《したが》い給うより増長することなれば、学問を好み給うこと最初第一の美徳とすること古今歴然たる事也《なり》」

新しい藩主として君徳を発揮するのは、もちろん古代の聖王の言行を学ぶことにあるが、ただ学んだだけではダメで、やはり現実に即した対応が必要になる。

それは、

「学んだことを必ず実行する」

という心がまえが必要だ。そして国主としてなによりも大切な心がまえは、

「民の目線でものを見る。すなわち民の身になって政治を考える」

ということだ。そうするためには、やはり耳に痛いことをいう忠臣の言葉をきくべきであって、おべっかやお世辞ばかりいっているような家臣はむしろ退けるべきだ、という、

「正しい君臣の関係」

も説いている。つまり日本の武士がテキストとして学んでいる古代中国の儒教も、

「現実の政治に応用することによってはじめて輝きを持つ」

と教えられたのである。

上杉治憲は、細井平洲のこの教えを守り、自分でもかなりの本を読んだ。しかも単に読み過ごしたわけではなく、必ず欄外に書きこみをした。つまり精読するのが常であった。

治憲が精読した本は、『国語』十冊、『弁道《べんどう》』一冊、『世説新語補《せせつしんごほ》』七冊、『七《しち》書《しょ》』七冊、『経伝通義《けいでんつうぎ》』二十八冊、『春秋左氏伝《しゅんじゅうさしでん》』十五冊、『荀子《じゅんし》』十冊などがある。またみずから筆を執って筆写した写本や手沢本《しゅたくぼん》は九十五種・四百四十六冊に及んでいるそうだ。

「藩主として民の父母になろう」

とわずか十七歳の身で今後の米沢藩政展開の誓いを立てた治憲は、明和四年八月一日に急使を派遣して、米沢の春日社《かすがしゃ》と白子神社《しろこじんじゃ》に「藩主として政治をおこなう心がまえ」を、神への誓いとして納めさせた。

・文学と武術を怠らないこと。

・民の父母である心がまえを第一とすること。
・質素倹約をおこなうこと。
・言行一致を旨とし、賞罰は正しく、無礼なことをおこなわないこと。
また白子神社に納めたのは、

「国家（米沢藩）が年を重ねて衰微し、藩民が非常に苦しんでおります。そのため大倹約をおこないます。中興をぜひとも実現したく、わたくしの決断がゆるみ、怠るときは神罰をお与えください」

というようなものである。

春日社に入れた誓詞《せいし》は、上杉治憲個人の心がまえであり、白子神社に入れたのは藩主としての心がまえを述べたものだといっていいだろう。しかしいまでは有名になったが、この誓詞については驚くべきことがあった。それはこのふたつの誓詞が発見されたのは、春日社の場合が慶応元（一八六五）年のことであり、白子神社のほうは明治二十四（一八九一）年であった。

つまり上杉治憲はふたつの社《やしろ》に納めた誓詞のことを、誰にも話さなかったのである。こういうところに上杉治憲の奥ゆかしさが感じられる。これはすべて、細井平洲の教えによるものである。上杉治憲の、

「第九代米沢藩主として、どのような行政をおこなうか」

という根本方針は、江戸の桜田藩邸において細井平洲から懇々と教えこまれた精神に立脚していた。その意味では後世名改革者として名をあげる上杉鷹山の治《ち》政《せい》の根本は、すべて細井平洲の方針であったといっていい。そしてこのことが国元にも広く知られたために、細井平洲は、

「新藩主をたぶらかす不届きな学者」

という汚名をこうむることになる。しかし平洲は平気だった。それは自分の学説に信念を持っていたからである。つまり、

「学ぶことと実行することの一致」

を信ずる平洲は、自分の学説を血肉とし新藩主として米沢に入国しようとする若き上杉治憲の姿に、自分の分身をみた気がしたからである。

（この若君こそ、自分がいままで研鑽《けんさん》してきた学説を実際に展開してくださる君主）

と感じた。

明和四年九月十八日、新藩主上杉治憲は「大倹約執行」の命令を発した。国元はもちろんのこと、江戸藩邸にも発せられた。率先垂範《そっせんすいはん》を実行するために、治憲は自身の藩主仕切料《しきりりょう》（藩主の生活費）を従来は千五百両であったものをいきなり二百九両に減額してしまった。七分の一に削減だ。

これで衣服・書籍の購入、諸調度品の調達、飲食費、燃料費などいっさいを賄わなければならない。そのため治憲は、食事を一汁一菜、衣服は木綿とし、仕《つか》える奥女中も五十人だったのを九人に減らしてしまった。

減らされる奥女中の中には、長年上杉家に仕え治憲も散々世話になった老女の使用人も含まれていた。老女は治憲に嘆願した。

「わたくしも相当な年なので、あの娘がいないと寝起きにもさしつかえます。どうかご慈悲をもって、あの娘だけはわたくしの手元に残してください」

と頼んだ。まわりもそのくらいはやむをえまいと理解していた。しかし治憲は、

「すまぬが、例外はつくれない。頼む、このとおりだ」

と老女に深く礼をし、可愛がっていた使用人の娘を解雇した。同じような話がのちにも起こる。大倹約令のほかに、治憲は米沢に赴任した後、

「当分の間、飲酒を禁ずる。そのために酒の製造を禁止する」

と触れたことがある。が、側近のひとりは、

「ご改革に協力の度合いが顕著な者には、せめて一杯の酒を与えて褒賞なさってはいかがでしょう」

とすすめた。治憲はそれを是《ぜ》として意見を採用した。たまたま細井平洲が米沢にいたので、

「細井先生、この酒を改革に協力したこの者にお渡しくださり、わたくしの気持ちを先生のお口からお伝えいただけませんか」

と頼んだことがある。平洲もそれほど深く考えずに酒を持って改革に協力した某《なにがし》をたずねた。ところが某は真っ赤になって怒った。そして、

「これで改革は失敗です」

といった。平洲は、

「なぜですか」

ときいた。某は、

「禁令を出したご当人が、みずからその禁令を破るようでは民の信用を失います」

といった。平洲は愕然《がくぜん》とした。そして某のいうことをもっともだと思った。急いで城に戻りこのことを治憲に報告した。治憲は考えた。そして深く反省した。

「先生、申し訳ございません。とんだ過ちを犯しました。禁令を出したのはわたくしです。それをみずから破るというのは、たしかに民の信を失います。某の言は正しい。にもかかわらず、深く考えもせずに大恩ある先生にそんな使者に立っていただいたことは、なんとも取り返しのつかない失策です。どうかお許しください」

と謝罪した。これは、江戸藩邸においては功労のあった老女の願いを退け、例外は認めないという範を示したのだが、米沢にいってからは逆に治憲が、例外を認めて失敗したという例である。改革を遂行するのにはある面において、

「非情の意志」

が必要であることを物語る。夏目漱石《なつめそうせき》のいうように、

「情に棹《さお》させば流される」

のである。藩主の座に就いても、実際の入国までに二年半の歳月をおいたのは、細井平洲の助言による。それは、

・このたびの改革は、おそらく他の大名家にも例のないきびしいものであること。

・そうであれば、改革をおこなうのは藩主だけではなく、藩士・藩民の協力が必要になる。

・痛みを感ずる改革に協力させるのには、なんといっても自分のこととしてその改革を理解しなければならない。

・それには、藩士・藩民に対し「なぜこの改革をおこなうのか。改革をおこなった結果、それが自分にどう響くのか」ということを相手が納得するまで説明しなければならない。

・それには多少の時間が必要だ。そこで、改革の趣旨を懇切丁寧に説明した文書を国元に届け、これを全藩士が読み、いろいろと討議する余裕を与えるべきだ。
・江戸の藩邸に勤める武士に対しては、藩主（治憲）みずからが口頭説明すべきである。
　というものである。

　この考えは現代にもそのまま当てはまる。現代も改革の連続する時代だ。とくにITが普及した現在、

「改革は絶え間なくつづく」

　といっていいだろう。しかしトップはともかく、ミドル（中間管理職）やロウ（従業員）層は、次から次へと改革の指示命令が出てくれば当然疑問を持つ。

「なぜ、こんなことをやらなければいけないのか」

　ということである。米沢本国に下って以来の鷹山（治憲）の改革は、まずこの、

「なぜ、改革をおこなうのか」

　という疑問に対する説明責任を果たしつづけたといっていい。鷹山の改革は、かかわりを持つ人びとの疑問の解明にエネルギーの大半を費やした。これは細井平洲の助言によるのだ。のちに誰かがこんなことをいった。

「鷹山の改革に対する態度は、して見せて、言って聞かせて、させてみるということだった」

この〝して見せて言って聞かせてさせてみる〟というのは、単に、

「このとおりやってみなさい」

と行動の範を示しただけではない。鷹山の考えは、

「なぜという疑問に答え、どれだけという協力者の寄与度・貢献度（シェア）を示し、そしてどんなという協力に対する信賞必罰をはっきりさせたことだ」

と解釈される。なぜという疑問に対しては、

「こういう目的を持っている」

とはっきり理念と目標を示すこと。どれだけというのは、

「協力者ひとりひとりの改革全体に対する寄与度・貢献度を示すこと」

であり、最後に協力の度合いによって、褒めたりあるいは叱《しか》ったりする信賞必罰をあきらかにするということである。

硬骨漢　佐藤文四郎

米沢の新藩主上杉治憲の近習《きんじゅ》（秘書）には、〝そんぴん侍〟の佐藤文四郎が選ばれた。そんぴんというのは米沢の方言で、一徹者《いってつもの》で我慢強い者をいう。また、時流に乗ったり上司に対してペコペコとお世辞をいったりしない。批判精神も旺盛《おうせい》だ。だから、組織や世間一般にはあまり馴染《なじ》まない。むしろ奇人として敬遠された。米沢では、こういう人物を〝そんぴん野郎〟とか、〝大変なそんぴん者だ〟などといって珍しがった。佐藤文四郎はそういう性格だった。細井平洲の講義にも誰よりも積極的に出席したし、平洲の話すことにいちいち大きくうなずいていた。平洲はそんな佐藤文四郎を見ながら、

（ずいぶん大げさな反応をする侍だな）

と思った。平洲も人間通だから、

（佐藤さんは、場合によってはわたしの印象を良くして、殿に推薦してもらおうという下心があるのではないか）

と疑ったこともある。しかし佐藤はそんな人間ではなかった。徹底してそんぴん精神を発揮していた。だから平洲に対してもお世辞もいわない。上杉治憲がいよいよ初入国すると決まったとき、平洲は、

「お国にお入りになったら、まず善行者《ぜんこうもの》の表彰をなさってください」

といった。治憲は承知した。そしてすぐ家老《かろう》を通じ国元に対して、

「善行者の名簿をさし出すように」

と命じた。やがて名簿が届けられた。受け取ったのは佐藤文四郎だ。文四郎は治憲に、

「これは、殿が米沢へお入りになったときに最初になさる善行者の表彰名簿です。一度、細井先生にご覧いただきたいので、すぐわかるところにおいておきます」

といって、治憲の机の隅においた。翌日が平洲の講義日で、ちょうど、

「善行者のこの世における存在意義」

というようなテーマで講義をした。佐藤文四郎はニコニコしながら平洲の講義をきいていた。それは胸の中で、

(細井先生のご講義が終わったら、殿は必ずあの名簿を細井先生にお見せになるにちがいない)

と思っていたからである。ところが、悪いことが起こった。この日平洲の講義

が終わった後、

「なにか、ほかにご用はございませんか」

ときくと、治憲は、

「いえ、別にございません。本日もご苦労さまでございました」

と平洲の労をねぎらっただけで何もいわなかった。脇《わき》にいた佐藤文四郎は思わずカッとした。しかし言葉に出さずに治憲を睨《にら》みつけた。治憲はその視線をきちんと受けとめない。平洲が去ると、クルリと後ろを向いて、平洲から学んだことのメモを取りはじめた。その後ろ姿をしばらくみつめていた文四郎はやがていった。

「殿」

「なにか」

治憲は後ろを振り向いた。文四郎は険しい表情でいった。

「なにかお忘れではございませんか」

「忘れもの？」

きき返した治憲は、すぐ首を横に振った。

「別に忘れたことはないが」

「そうではございますまい。大事な忘れものがございますぞ」

「何だろう」

「お机の端に乗せてある名簿をお忘れでございます」

佐藤にいわれて治憲は机の隅をみた。そして思わずハッとした。

「これは、しまった」

と小さな声をあげた。佐藤文四郎は膝《ひざ》を前へ進めた。

「ただいまの細井先生のご講義の中にも〝小事は大事〟というお教えがございました。つまらないことでもそのまま見過ごせばやがて大事に至ります。殿のご失念は、まさにその例でございます」

「………」

治憲は言葉を失った。しばらくうつむいていたが、やがて顔を上げると佐藤にいった。

「文四郎、許せ。思わず失念した。明日にでも必ず細井先生にお目にかけるから」

「間に合いませぬ」

佐藤は冷たく突き放した。そしてこういった。

「機を失した小事は、もはや小事ではございませぬ。すでに大事に至っております。殿はいったい今日までの細井先生のお教えをどのようにお聞きでございますか、何もお学びにならなかったのでございますか。その書かれた名簿を先ほど細井先生にご覧いただければ、名簿に書かれた善行者たちも生きております。しかし殿がご失念になった以上、そこに書かれた善行者もすでに死んだものと同じでございます」

「文四郎、そのように強いことをいうな。ほんとうにわしが悪かった。このとおりだ」

治憲は座り直し手をついて詫《わ》びた。しかし佐藤文四郎は見向きもしない。鼻の先に、

（いまさらそんなことをしても遅うございますよ）

という色がありありと浮かんでいる。治憲は弱り果てた。

「どうすれば、わしを許してくれるのだ」

「そんなことは、殿がご自身でお決めになることでございます。わたくしは家臣の身で、殿にああせいこうせいなどという大それたことは申し上げられません。しかし、これは本当に大事なことでございますぞ」

佐藤はもう一度脅しつけた。治憲はうなだれた。

佐藤は次の間に下がり、そのまま正座した。治憲は夜食もとらなかった。黙って机の前に座りつづけた。その姿には、

（文四郎が許してくれるまでは寝るわけにもいかぬ）

という気持ちがありありと浮かんでいた。見かねたのは竹俣当綱《たけのまたまさつな》たち重役だ。ほんとうなら、

「佐藤、いい加減にしろ。主君に向かってなんという態度だ」

と叱《しか》りつけるところだが、竹俣たちも佐藤のそんぴん精神をよく知っている。いってもムダだと思った。そこで、側近たちは相談した。結果、

「申し訳ないが、細井先生にお出ましいただこう」

ということになった。平洲のところに使いが走った。平洲は驚いた。平洲はもともとあまり健康体ではない。だから、夜分何もなければ早く寝るようにしている。それを叩《たた》き起こされた。

「なにごとです」

さすがに眉《まゆ》を寄せながら平洲は使者にきいた。使者は、

「詳しいことは藩邸で重役から申し上げます。とにかく、わたくしと一緒にご同行願いとうございます」

と急《せ》き立てた。藩邸がこれほど騒ぐのだから、さぞかし大変なことだろうと平洲もそそくさと支度をし、使いの者と一緒に桜田の上杉邸に向かった。藩邸の中はまだあちこちに灯《あか》りがついている。寝ないでこの騒ぎに立ち向かっているらし

い。玄関まで出てきた竹俣当綱が思わず喜色をあらわした。

「細井先生、ご迷惑をおかけいたします。しかし、おいでいただいて助かりました」

「何が起こったのですか」

「じつは」

廊下を渡りながら竹俣は早口で説明した。そして治憲の居室へ案内した。居室の手前の部屋に近習の佐藤文四郎が肩を怒らせて座りこんでいる。平洲の姿を見ると、

「これは、細井先生」

と慌てて丁重なお辞儀をした。平洲は、

「佐藤殿、ご苦労さまです」

と声をかけて治憲の居室に入った。治憲は平洲を見ると悲しそうな顔をした。そして、

「夜分遅く、先生にまでこのようなご迷惑をおかけし、ほんとうに申し訳ございません」

と謝った。平洲は、

「何が起こりましたか」

と静かにきいた。治憲はいきさつを話した。そして、

「すべてわたくしの失念から起こったことで、小事が大事に至りました。先生のお教えに背き誠に申し訳ございません。佐藤文四郎の怒りももっともと思い、どうすればよいか思案に暮れていたところでございます。どうかお救いください」

そう告げた。ほんとうをいえば平洲は腹の中で笑いたかった。一瞬、バカバカしいと思ったからだ。しかし、治憲と佐藤文四郎が主従の境を越えて、そんな突っ張り合いをしているのは非常に面白いと感じた。

(佐藤文四郎殿も、さすが米沢のそんぴん侍だ)

と感じた。次の間にきて佐藤にいった。

「佐藤殿、お話はただいま殿から伺った。殿はおぬしの怒りはもっともだと仰《おお》せられる。しかし、古い教えに〝過って改まるに憚《はばか》ることなかれ〟という言葉があるのを先日わたしが講義申し上げたことはご存じだな」

「存じております」

「殿はすでに改めておられる。もはや憚る必要はないのではないか。にもかかわらず、それを深追いするというのは、今度は佐藤殿の忠誠心の問題になりはしませんか」

「なぜでございますか」

佐藤はキッとなって平洲を睨みつけた。そしてこういった。

「過ちを犯したのは殿でございます。それなのに、なぜわたくしが咎《とが》められるのでございますか。わたくしは不忠の臣ではございません。不忠の臣であれば、殿の過ちをそのまま見過ごします。何も申しません。が、わたくしは殿に忠誠心を持っているがために、このように苦いことを申し上げるのでございます」

昂然《こうぜん》とした態度だ。平洲は弱った。たしかに佐藤文四郎のいうことに理がある。治憲が悪い。が、そうはいえない。しかし細井平洲もある意味ではしたたかな人間巧者だ。屁理屈《へりくつ》を考え出した。というのは、こういう場面にはいままで何回も出会ったことがある。そのたびに平洲は切り抜けた。

とっさに知恵を働かせる。場合によっては、常識を越えるような理屈を立てる。しかし、それはなにも平洲自身が自分を守るための手段ではない。必ず、

「守らなければならない存在」

がいる。いまの場合は若き藩主の上杉治憲だ。学問の弟子である治憲は、はじめて米沢に入る。ここで傷つけるわけにはいかない。何がなんでも治憲をさっぱりさせて国に送りこむ必要がある。

平洲は佐藤文四郎にいった。

「おぬしの理は正しいと思う。しかしおぬしは家臣の身でも、不当なことをする

主人は主人ではないといい切り、すでに治憲様を見限ったようだな。それはそれで正しい。しかし、殿に学問をお教えするわたしは、師として殿を見限ってはいない。また、おぬしもわたしに学問を学ぶ身だ。わたしは殿の師として、まだ殿を見限ってはいない。にもかかわらず、わたしの弟子であるおぬしが殿を見限るということはどういうことだ。それこそ不忠ではないのか、このへんをよく考えてもらいたい」

いいながら平洲は自分でも、

（どこかおかしい）

と感じた。この言葉に佐藤文四郎は呆気《あっけ》にとられて平洲の顔を見返した。しばらくそのままの姿勢をつづけた。口をポカーンと開けて、眼はクルクルまわっている。それはそのまま文四郎の頭の中の思念がクルクルまわっていることを示していた。しかし平洲の言葉は思わぬ効果を生んだ。しばらく経つと佐藤文四郎は眼を伏せ口を閉じた。そしていきなり両手をついた。

「よくわかりました」

そういった。そしてやがて肩を震わせはじめた。慟哭《どうこく》している。平洲は驚いた。まさか佐藤文四郎がこんな反応をみせると思わなかったからである。

「佐藤さん」

平洲はさっきの緊張した声音を柔らかくほぐして呼びかけた。佐藤は突っ伏した。そして、

「先生のお言葉、胆《きも》に銘じました。わたくしは不忠でございました。殿を見限るなどという大それたことを申し上げ、なんとも申し訳ございません。佐藤文四郎、不忠の罪をもって腹を切らせていただきます。どうか殿によしなにおとりなしください」

そういうといきなり部屋の外に出ようとした。平洲は、

「佐藤殿、待ちなさい」

と声を励まし、佐藤の裾《すそ》をつかんだ。佐藤は振り切って去ろうとしたが、平洲もこの際とばかり力をこめたので動けない。

「細井先生、どうかお見逃しを」

と泣くような声を上げた。治憲が出てきた。

「佐藤、どうした」

といった。治憲の姿を見ると佐藤はそこにヘタヘタと座りこみ、両手をついて額を床にすりつけた。

「殿、この文四郎めの不忠をお許しください。先ほどは、怒りのあまり口にしてはならぬことを申し上げました。不忠の罪、十二分に心得ております。どうかご

慈悲をもって切腹をお許しください」

そう告げた。治憲は細井平洲の顔を見た。平洲は微笑《ほほえ》んでいた。眼で、

(殿、よろしゅうございましたな)

と告げていた。平洲は佐藤文四郎にいった。

「佐藤殿、殿のほうには何のわだかまりやこだわりもおありにならないそうだ。おぬしも、気分を変えて改めて殿に忠節を尽くしてください」

「は」

文四郎は顔を上げた。そして探るように治憲を見た。治憲は眼に笑みを浮かべて大きくうなずいた。それも一度ではなく、二度も三度もうなずいた。その治憲の表情を見て佐藤文四郎はふたたび額を床にすりつけた。平洲はこの光景を美しいと思った。治憲は若いけれども温情のある立派な主君であり、またその若い主君に心からの忠節を尽くす佐藤文四郎にも爽《さわ》やかなものを感じた。

(この主従なら大丈夫だ)

と思った。米沢にいって少なくない抵抗勢力があろうとも、文四郎はきっと治憲を守り切るにちがいない。義経《よしつね》を守る弁慶《べんけい》のように必ず障害の前に立ちはだかって、その障害が治憲におよばないようにつとめるにちがいない。平洲はそう確信した。

上杉治憲がはじめて米沢に向け江戸を出発したのは明和六（一七六九）年十月十九日のことである。そして米沢に到着したのは同月二十七日のことであった。当時のことだから約八日間かかる。それだけではない。十月というのは旧暦で、現在なら十一月の末か十二月初旬になる。いま、米沢へいくのには東京から山形新幹線に乗って、福島経由になる。山形新幹線と名づけられたこの電車は〝つばさ〟の別名を持っている。新庄《しんじょう》までいく。山形県の中は、いくつかの地域に分かれるが、その地域によって雪の深浅がちがう。

福島から山越えをした最初の米沢は豪雪地帯だ。県都である山形市は比較的少なく、新庄にいくとまた雪が深い。福島から在来は、板谷《いたや》・峠・大沢・関根などの駅がある。山の中はすべてスイッチバックだった。その跡がいまも残されている。治憲が国入りしたころは、もちろん鉄道などないから徒歩だ。治憲は駕籠《かご》に乗っていた。しかし、担いだ連中の苦労を思うと座っていても気が気ではない。しばしば、

「大丈夫か」

と声をかけた。供脇は、

「お心遣いはご無用に存じます。どうぞ、お心安らかにお過ごしください」

という。しかしそうはいわれても治憲は、

「担ぐ者のつらさ」は、そのまま響いてくるから気が気ではなかった。やがて、板谷宿に着いた。

米沢保守派のサボタージュ

現在でも福島から米沢に至る間は豪雪地帯である。このときも同じだった。板谷宿に着いたとき供の者がすぐ宿を探した。本陣《ほんじん》（大名が泊まる宿屋）に交渉したが本陣は真っ暗だった。無人ではなかった。しかし出てきた主人はこんなことをいった。

「お殿様のお宿はどうかご辞退させていただきとうございます」

交渉にいった武士はびっくりした。こんなことは例がない。とんでもないことをいうやつだと思った。

「なぜ、殿の宿を辞退するのだ？　おまえの店は本陣ではないか。殿がはじめてお国入りをするときに、その宿をつとめられないなどというのは不届き至極《しごく》だぞ」

「ご無礼の段は重々わかっております。しかし、いまあなた様がおっしゃいましたように、新しい殿様のご入国が突然のことでございましたので、準備が整いません」

「なんだと」

交渉にいった武士は気色《けしき》ばんだ。しかし宿の主人は落ち着いて次のような説明をした。もともと板谷宿のある地域は山の上なので、米がほとんどできない。麓《ふもと》の米沢の城下町から買入れている。ところが最近は米の値が上がり、なかなか手に入れるのが難しい。それに藩主の参勤交代の時期が、いままでは五月に決められていた。それが突然新しいお殿様がお国入りをなさるので準備がとてもできない。またお城からのお達しが着いたのはつい最近のことなので、殿様はじめお供の方々の寝具すら整っていない。

「以上の理由でどうかお宿はお許し願いとうございます」

「………」

交渉にいった武士は沈黙した。腹の中が煮えくり返った。それは宿の主人がいった、

「連絡が最近になってやっときた」

という一言がカチンときたからである。すぐわかった。それは、

(米沢城の重役たちがわざとそうしたのだ)

と思った。そのとおりだった。米沢城では重役たちをはじめとして、いってみ

れば、

「新藩主非歓迎派」

が多く、結束していた。だから、

「新しい殿様が米沢城にこられても、歓迎はしない。上杉家のしきたりを徹底的に示して、できればそのままご出身地である日向高鍋にお帰りいただこう」

と合意していた。とんでもない話だがこれは長年上杉家に仕《つか》えてきた譜代《ふだい》の家臣団にしてみれば当然のことであった。もちろん、上杉治憲が江戸藩邸へ呼んだ家老《かろう》の千坂高敦《ちさかたかあつ》に渡した『志記《しき》』という改革指導書などにぎりつぶして、全藩士に配布することなどまったく手をつけていなかった。意図的にそうしていたのである。いまでいえばサボタージュなのだが、当時そんな言葉はない。

宿の主人と話していて、交渉に当たった武士はこれから入る米沢城の空気がいかに冷たく険悪なものであるかを知った。

「事情はよくわかった。しかし弱ったな」

最初の勢いを完全に失い、交渉に当たった武士は、落胆して行列に戻った。そして治憲の駕籠脇《かごわき》にいた近習《きんじゅ》の佐藤文四郎を呼んだ。

「どうした」

文四郎がきく。交渉に当たった武士は小さな声で、

「じつはコレコレで、こういう次第です」

と宿の主人がいったことをそのまま報告した。文四郎は、

「なんだと」

と思わずカッとした。

「こんな深い雪の中で、野宿をしろというのか」

「やむをえません。宿の者を責め立ててもこれ以上の準備は期待できません」

「おのれ、城の重役どもめ」

文四郎はバリバリと歯を噛《か》み鳴らした。しかし怒っていてもことは解決しない。いまでもこういうときになると、上に立つ者は、

「なぜこんなことになったのだ！」

とか、

「いったい誰がこんなことにしたのだ？　責任者は誰だ？」

などと原因探しや犯人探しをする。バカなことである。そんなことをしても起こった事実はそのままだ。原因探しや犯人探しをするよりもまず、

「起こっているこの現実にどう対応するか」

と考えることのほうが先だ。

「これはまったく弱ったたな。殿に申し訳ない」

さすがの佐藤文四郎も腕を組んだ。

しかしいつまでもそのままにしておくわけにはいかない。治憲に事実を告げる必要がある。それは佐藤文四郎の役割だ。意を決して文四郎は駕籠のそばに近づいた。そして、

「殿、じつは」

と声をかけかけてすぐ言葉を呑《の》みこんだ。というのは、駕籠の中から妙な音がしたからである。フーフーという激しい息づかいだ。文四郎はびっくりした。

「殿、いかがなされました」

声をかけたが、中から何の応答も返ってこなかった。あいかわらずフーフーという息づかいがつづいている。

「殿、もしやお加減がお悪いのではございませぬか」

文四郎は気遣った。この深い雪の中で寒気がきびしく、治憲がかぜを引いたのではないかと心配したのである。ところが駕籠の中から、

「いや、わたしは元気だ」

という声が返ってきた。そして、カラリと戸が開いた。覗《のぞ》くと治憲がニコニコ笑いながらこっちを見ている。声の調子がおかしいので文四郎がよく見ると、治憲は口の端に煙管《きせる》の吸い口をくわえていた。文四郎は眉《まゆ》を寄せた。

「殿、いったい何をなさっておいでですか」

「火をおこしている」

「は？」

文四郎はびっくりした。治憲の話が見えない。

「火をおこしておいでとは」

きき返すと治憲はやっと吸い口から口を離した。そして眼の前にある煙草盆《たばこぼん》を示した。

「煙草を吸おうと思ってな、煙管に煙草を詰めたがあいにく煙草盆の中に火がみあたらぬ。しかし江戸を出るときにわたしは細井平洲先生からはなむけの言葉を頂戴《ちょうだい》した。それはおまえも知っているように治者《ちしゃ》は民の父母なりということと、民生を重視するのは知仁勇《ちじんゆう》の至りであって、とくに今日においては大勇を以《も》って経綸《けいりん》を実行して欲しい、と。

この先生のお言葉はじつにわたしを励ましてくれた。雪の道をたどるその方たち供の者の苦労にくらべれば、わたしはずっと駕籠の中に座ったままだ。しかしだからといってわたしが外に出て、おまえたちと一緒に歩いても意味はない。人間にはそれぞれ役割がある。わたしの役割はこの駕籠の中にじっと座っていることだ。そしてお前たちの労苦を偲《しの》びながら自分の労苦とすることだ。

しかし心は乱れてなかなか鎮まらぬ。そこでせめて煙草を吸って心を鎮めようと思ったが、いま話したように火が見あたらぬ。が、わたしは細井平洲先生がくださった言葉を、どんなときにも、自分がやり遂げようと思えば必ず道は開けるという意味に解した。つまりなせばなる、なさねばならぬということだ。そこで勇を奮って自分がいまおかれた場所でできることをやってみようと思い立った。

それは煙草盆の冷えた灰の中にも必ず火種《ひだね》が残っているだろう、ということだ。灰を掘ってみた。底のほうに小さな火種があった。それを元にして、この煙管の吸い口を火吹竹《ひふきだけ》のかわりにしながら一所懸命、フーフーと吹き立てたのだ。文四郎、見てみよ、いま火は完全におこっている」

そういって治憲は煙草盆の中で赤々と燃えている木炭を指さした。文四郎は呆《あき》れて脇にいた侍たちと顔を見あわせた。しかし文四郎は感動した。

「冷えた灰の中にも必ず火種がある」

という治憲の言葉が胸に響いたからである。この豪雪の中でも治憲は決して絶望はしない。おそらくはじめての入国なので心の中にどれほどの不安や恐れがあるかははかり知れない。

しかし治憲はそれを克服しようとしている。その克服する勇気を湧《わ》かせるために、灰の中から火種を発見したのだ。そしてその火種を元に自分の心の木炭を真っ赤に燃やそうと努力している。その健気《けなげ》な姿勢は佐藤文四郎の胸に大きく響いた。

文四郎は感動した。思わず涙ぐみそうになったが堪《こら》えた。そこで雪の上に膝《ひざ》をつきこういった。

「殿、ご教訓誡にありがとうございます。殿のいまのお言葉によって、われわれも勇気を得ました。じつは」

そういって文四郎は宿の一件を話した。最後まできいていた治憲は静かに微笑《ほほえ》んでうなずいた。

「事情はよくわかった。このうえは、雪の中に野宿もなるまい。旅程を繰り上げて米沢城へいこう」

「ありがたき幸せ。そうさせていただきます」

佐藤文四郎の合図で行列は動き出した。文四郎は歩きながらまわりの武士たちに治憲の火種の話をした。

「灰の中の火種？」

きいた者ははじめはよくわからずに妙な顔をした。ところが文四郎が、

「殿がおっしゃるのは、われわれひとりひとりの胸の中にもその火種があるということだ。ひとりひとりが、自分で自分の火をおこそう。そしてその火の熱さを

力にしながら米沢城へ急ごう」

と告げた。みんな大きくうなずいた。行列は雪の山道を越えて、一路米沢城に向かっていった。

「細井先生、その後お風邪《かぜ》のお加減はいかがでいらっしゃいますか。主人治憲も案じております。とりあえず、入国後の米沢の状況についてご報告いたします」

そんな書き出しで手紙を寄越したのは佐藤文四郎である。細井平洲は眼を輝かせて文四郎が書いてきた手紙を読んだ。しかし最初輝いていた平洲の瞳《ひとみ》はだんだん暗い影を落としはじめた。文四郎の手紙の内容があまりにも悲惨だったからである。平洲は読み進むにしたがって、

（これでは、治憲様がお気の毒だ）

と感じた。文四郎が書いてきた手紙の内容のほとんどが、

「米沢本国における重役陣の新藩主治憲への非協力ぶり」

の数々であった。それを文四郎は箇条書きにして述べていた。
・治憲が江戸で家老の千坂高敦に託した『志記』は、まったく手がつけられていず、そのままにぎりつぶされていたこと。したがって治憲の「これを全藩士に渡すように」という指示はまったく守られていないこと。
・その理由を米沢城の重役陣は次のように告げた。

一、このような大事な内容は、当然国元の重役陣にも事前にご相談があって
しかるべきなのにもかかわらず、まったくご相談がなかったこと。
二、しかも、この『志記』の内容は江戸藩邸にいるいわば本国追放組の連中
によって案が立てられ、書き連ねられたこと。
・したがって、かれら不満組の憤懣《ふんまん》が文面にあらわれていて、本国ではほとん
ど適用できないような事項が並べたてられていること。
・こういう扱いは、まず本国へお入りになられた殿が国元の重役をお集めにな
って徹底的に協議を尽くし、国元のしきたりや重役陣の意見をきいたうえで
案をお立てになるのが至当であること。
・われわれはそういう意見を持っていたので、あえて千坂がもたらした『志
記』はそのまままさしおき、殿のお国入りを待っていたこと。
・さらにいえば、この重要な事項は江戸藩邸の者に対しては殿が直々《じきじき》にお話し
になり、国元に対しては一編の書面をもって通達があったこと。これは、江
戸と国元とどちらを殿が大切になさっているかのご姿勢があらわれているこ
と。国元では大いに不満に思っていること。
読み進むうちに平洲の気持ちは暗くなったが、しかし絶望したわけではない。
こんなことはよくあることだ。平洲もいままで上杉家だけではなく、いくつかの

大名家とつき合ってきた。これはいまの言葉を使えば〝官僚主義〟というものだ。偉くなるほどこの傾向が強くなる。つまり、

「面子《めんつ》をつぶされた」

とか、

「事前に自分に話がなかった」

という類《たぐい》のものだ。自分の面子のほうが仕事の重要性よりも優先順位を高くしている。だからここに並べられているような悪《あ》しき官僚主義の数々が依然としてまかり通る。しかし佐藤文四郎は次のように書いている。

「しかし、殿はこういういろいろなこととお出会いになるたびに、先生がご入国のはなむけとしてお贈りになったお言葉を思い出しておられます。それは大勇を以って経綸を実行することが第一です、という先生のお言葉です。殿はわたくしによくおっしゃいます。先生が大勇を以ってという意味がようやくわかった。先生はさすがだ、といっておられます」

そのくだりを読んで平洲は微笑んだ。文四郎が最初に心配したように、九月平洲は風邪をひいた。それも長期間床にふせっていた。

それは平洲の心が弱っていたからである。原因は上杉家の学者医師藁科《わらしな》松伯《しようはく》が突然死んでしまったことである。突然といっても、松伯には宿痾《しゆくあ》があった。肺

結核だった。そのため普段から身体《からだ》を支えるのがつらく、その意味では松伯は相当無理をしていた。米沢に松伯は自分の塾を持ち、ここで多くの武士を教えていた。しかしその武士の多くが江戸へトバされていた。藁科松伯は米沢城の重役たちからは、

「問題児ばかり養成する学者医師だ」

というみられ方をしていた。しかし平洲にすれば、両国橋脇で大道講義をしていた自分を発見したのは松伯である。いわば上杉治憲と結びつけてくれた仲介者だ。それだけにひとしお思いがあった。

松伯が死んだのは八月二十四日のことだがまだ三十三歳だった。若い。いま平洲は四十二歳だがおよそ十歳の年の開きがあった。しかし平洲は松伯を尊敬していた。藩医という立場もあったからだが、しかしそれ以上に松伯は正義を愛する人物であり、同時に誠意を重んじた。そしてなによりも平洲が感動するのは、藁科松伯が、

「言行一致の行動者」

だったことである。平洲は上杉家の専属学者ではない。他藩にも義理がある。また、江戸で塾を開いているので米沢へ移り住むわけにもいかない。その平洲が米沢におもむいたのちの治憲の教育者としてもっとも期待していたのが藁科松

伯であった。

「松伯殿なら、まさに大勇を以って経綸を実現する治憲公のよき導き役であるにちがいない」

と思っていた。したがって藁科松伯の突然の死は、細井平洲にとっても大痛恨事であり、

（治憲公もさぞかし心を痛めておいでだろう）

と思った。しかし平洲は、

「そうはいっても、米沢城には江戸にいた忠誠無比なそんぴん侍がたくさんいる。あの連中が身命を捨てて治憲公を支えてくれるにちがいない」

と思った。しかしそのそんぴん侍の学問的指導者が藁科松伯だったのだから、かれらにとっても松伯の死は大痛恨事であるにちがいない。佐藤文四郎の手紙はさらにつづいた。

「大勇を以って経綸をご実現になる治憲公は、改めて全藩士を米沢城の大広間に集め、訓辞をなさいました。一旦《いったん》千坂殿を通じて『これをわたしの入国前に全藩士に周知しておくように』と申された『志記』の内容をそのままお話しになりました。なぜ入国前に『志記』が全藩士に普及されていないのか、などというお咎《とが》めはまったくなさいませんでした。治憲公の忍耐づよい柔軟なお心に感動いたし

ます」

このくだりを読んで、平洲は江戸藩邸で治憲に学問を指導しているときに感じたことを思い出した。それは平洲の教えによってでなく、治憲は身近に仕える者の失敗を決して咎めることはない。つまりふつうなら、

「いったい誰がこんなことをやったのだ?」

とまず犯人を探し出す。それが見つかると今度は、

「なぜ、こんなバカなことをしたのだ?」

と過ちを犯した経緯《いきさつ》をしつこくたずねる。

そのうえで、

「おまえを厳罰に処す」

というのが権力の座に座る連中の常套手段《じようとうしゆだん》だ。しかし江戸桜田の藩邸に通っているころ、少年治憲は絶対にそんなことはしなかった。もちろん、人間のことだから過ちは犯す。治憲に仕える者も時折失敗をする。が、治憲は何もいわない。やさしい眼で、

「二度と繰り返さないように」

という。過ちを犯した者は感動し、人によってはうつむいて肩を震わせる場合があった。治憲の温情に嗚咽《おえつ》するのだ。だから佐藤文四郎の手紙によって、

「改革指導書である『志記』が、米沢城の武士たちにまったく普及されていなかったことを、治憲公はお咎めになりませんでした」

ということは平洲にもよくわかった。平洲は思った。

・おそらく治憲公は、結果が出てしまったことをあれこれ詮索《せんさく》して、時間をかけることをお嫌いになったのだ。したがって、なぜ『志記』が藩士の手にいきわたっていないのか、などということを詮索しない。

・それは、治憲公が「起こったことはどうすれば解決できるか」という前向きの姿勢をお持ちだからだ。おそらく城中の会議でも、治憲公の頭の中には「なぜ?」という疑問があったにちがいない。しかし治憲公はそれをご自身で抑えた。

・そして、「改革は時間との闘いだ」という認識によって、一歩前へすすめるために改めて『志記』の内容をお話しになったのだ。

そう感じながら、しかし平洲は別なことを考えていた。それは、

(そのときの治憲公の頭の中には、わたしの面影《おもかげ》があったはずだ)

と思っていたからである。

いつも脇に先生がおられる

江戸の藩邸で学問の指導を受けているときにも、治憲は学問とは別に自分が経験したことを話題にした。解決困難な問題に遭遇したとき、治憲は必ずきいた。

「この場合、細井先生ならどうなさいますか？」

平洲は苦労人だから、少年治憲が経験したような事件には度々めぐり合ってきている。したがって解決策もたくさん持っていた。親切に教示した。治憲はよろこぶ。そして、

「これからも、常に難問題に遭遇したときは、細井先生がもしおられたらどうなさるか、と考えるようにいたします」

といった。平洲はうれしかった。そこまで治憲が平洲を信頼してくれることに胸がつまったのである。だからいま佐藤文四郎の手紙を読みながらも、文章に書いてない治憲の心の内を知ることができた。

（おそらく治憲公は、胸の中で怒りの渦を捲《ま》き立てておられたにちがいない。が、

それは〝私〟の心であって〝公〟の心ではない。細井平洲先生ならこの場合どうなさるか、という自問自答を繰り返しながら改めて『志記』の内容をお話しになったにちがいない）

と感ずる。そして上杉治憲にそう思わせるのはやはり細井平洲が教えた、

「治者《ちしや》は民の父母でなければならない」

という一条を守り抜いているからである。治憲はそれをことあるたびに思い起こしているわけではない。すでにこの言葉は治憲の血肉化している。精神と肉体の一部になっている。したがって治憲にはどんな難問が降りかかろうとも、退《ひ》いて拠《よ》るべき信念があった。それが、

「自分は民の父母である」

というものだ。治憲が書いた『志記』の内容は一言でいえば「大倹約令」だ。が、相談を受けたとき平洲は治憲にこんなことをいった。

・単に倹約せよといっても、藩士たちはいままですでに十分な痛みを味わっているので、おそらく簡単には従わないでしょう。

・改めて倹約を求めるためには、「なぜ倹約をするのか、その必要があるのか」という目的をはっきり示す必要があります。

・その目的も単に城の赤字を克服する、というのではなく、民の苦しみを救う

という経世済民《けいせいさいみん》の考えに立脚すべきです。つまり、改革には目的の底に理念が必要です。

・また、家臣にそのことを告げるためには殿（治憲）ご自身が、〝民の父母である〟というご認識を、改めて城の武士に伝える必要があります。

治憲はこの教えを守った。

「先生のお教えに従って、家臣に示す文書を整えます」

といった。平洲はうなずいた。が、こうつけ加えた。

「その藩士にお示しになる文章のことでございますが、どんなに末端の者でも、たとえば学問を十分に学んでいない者でも理解できるようなものでなければなりません。このへんは、普段からお心得があるので心配はしておりませんので、どうかよしなにお含みおきください」

「十分承知しております。わたくしは先生のご文章を模範にしておりますので、ろくに字が読めない者でも十分理解できるようなものに仕立てるつもりでございます」

瞳《ひとみ》を輝かせながら治憲はそう答えた。そしてそれを守った。治憲が米沢藩士たちに告げた「大倹約令」の内容は、かいつまんで意訳すれば次のようになる。まず状況の説明が丁寧におこなわれている。

・当上杉家は大家から小家になった。しかし上下ともに諸事大家の古《いにしえ》を慕う心がまだまだ強い。
・したがって家格が重ければそのしきたりもいろいろと変えることができない。悪いことにそのしきたりには多額の金がかかる。
・同時に太平の世の中が長くつづいていたので、いつの間にか上下の風俗も贅《ぜい》沢《たく》になっている。
・だからわれわれがいま当たり前だと思うことも、じつはむかしを偲《しの》べば大変な驕《おご》りだ、ということを忘れ去っている。
・当家もその風潮に染まっている。
・これが原因となって当家の財政は著しく逼迫《ひっぱく》し、大赤字が出ている。
・こういう状況では、いま次々と襲う水難・旱魃《かんばつ》・火事などに対する救済策を容易におこなうことができない。
「そういう状況にある上杉家に、わたしは小さな大名家からやってきた。つまり大きな名門上杉家の養子になった。しかし養子にきた以上、いまの状況をそのまま見過ごして家のほろびるのを待ち、国の人民たちを苦しめるのは先祖に対する不孝これに過ぎるものはない」

「上杉家は、会津百二十万石から米沢三十万石に減封《げんぷう》された。さらに十五万石に減らされた。にもかかわらず、依然として城中の武士たちは古の家格を重んじ、奢侈《しゃし》の風がつづいているのを嘆く」

「このまま座して家がほろびるのを待つか、それとも大勇を奮って大倹約を実行すれば、あるいは家が立ちいく道が発見できるのか、われわれはいま岐路に立っている。どうか全藩士が心をそろえて協力してもらいたい」

とまず藩主としての希望を述べる。

そのうえで倹約の具体策を次のように示した。

・藩主の伊勢神宮《いせじんぐう》参拝は、従来高級武士が代参していたがこれをさらに身分の低い武士に命ずる。それによって費用を節約したい。

・藩主ならびに藩がおこなう仏事の大半を延期したい。

・同時に、神事も同じであって、これも多くを延期したい。ただ、初午《はつうま》の行事だけは従来どおりおこなう。

・一年間の慶事弔事《けいじちょうじ》はすべて延期する。

・参勤交代の節の行列の人数をさらに縮小する。

・万やむをえない公式行事のほかは、木綿の着物を着ること。

・食事は一汁一菜にしてもらいたい。ただし年の暮れは一汁二菜にしよう。

・内部の者だけでおこなう公務執行の際は、木綿の着物を着用してもさしつかえない。
・上下左右あるいは近親内における贈答はいっさいやめてもらいたい。
・住居などの修復も当面控えてもらいたい。
・幸姫《よしひめ》殿の衣服も普段は木綿にしてもらいたい。
・奥に仕えている老女など女性使用人は、現在の五十人を九人に減らす。
などであった。つまり藩がおこなってきたいろいろな儀式・祭礼・仏事・祝い事などをほとんど延期してしまったのである。

無期延期だから事実上は廃止にちかい。これによって身近なところから費用を倹約しようということだ。ここで幸姫というのは治憲の妻のことで、上杉家の家つき娘だ。治憲はこの幸姫の婿《むこ》になったのである。仕える女性五十人を九人に減らすということは、幸姫のお付き女性にもおよんだ。つまり、

「例外は認めない」

ということだ。幸姫づきの老女が治憲に文句をいった。

「あまりにも度が過ぎるのではございませぬか。これでは、それでなくてもお身体《からだ》のご不自由な幸姫様のお世話にはばかりが生じます」

しかし治憲はゆるく首を振って老女を諌《いさ》めた。

「例外は認めない。それを認めると、ほかにも響く。幸姫にも我慢してもらって

欲しい。そなたからよくお話しください」

と丁重だが、きっぱりと断わった。老女は怒りをあらわにしながらプンプンして去っていった。脇《わき》でみていた近習《きんじゅ》の佐藤文四郎がさすがに治憲にいった。

「すこし加減なさったほうがよろしいのでは？」

このとき治憲が佐藤文四郎に話したことを、文四郎は手紙に書いていた。

「殿（治憲）は、わたしの言葉にこのようなお話をしてくださいました。それは藩祖上杉景勝公が米沢にご入国の際、ご家老《かろう》であった直江兼続殿のとられた策のことでございます」

細井平洲は眼をとめた。こんなところに直江兼続の名が出てきたからである。直江兼続は戦国を生き抜き江戸時代初期まで上杉家を守りぬいた名軍師といわれる人物だ。子どものときから上杉謙信に仕《つか》え、謙信の薫陶《くんとう》を受けた。

謙信はとくに「義」を重んじ、自国の領土拡張のための合戦《かっせん》をいっさいおこなわなかった。逆に、武田信玄に追われて越後に逃げこんできた信濃国の諸武将の救済に臨んだ。その代表的なのが川中島《かわなかじま》の合戦である。また謙信は、毘沙門天を尊崇《そんすう》していた。軍旗に「毘」の一文字を染め抜いた。謙信は兼続にこんな話をした。

「毘沙門天は、仏に仕える軍神で北方守護の任務を負っている。おれも同じだ。

だから毘というのは毘沙門天のことだ」

謙信はさらに拠点である春日山城内にお堂をつくり、毘沙門天をまつった。そして何かあると毘沙門天堂にこもって長く像と問答をした。やがて出てくると、

「毘沙門天が、この合戦は必ずおこなうようにとおっしゃった。しかし、もうひとつの合戦は絶対におこなってはならないというお告げだ」

といった。まだ領土欲にうごめく部下や国内の諸豪族をなだめるためには、やはり毘沙門天の名を借りてその当否を説明したほうが納得させやすいと思ったのだろう。謙信独特の説法だった。だから直江兼続は若いときから上杉謙信によって、

「義の大義と、北国の守護神としての自覚」

を教えこまれたのである。このふたつは兼続にとって謙信から教えられた決して忘れることのない真情であった。この二つの真情を物差しにして、直江兼続は文字どおり主人の上杉景勝（謙信の養子）に仕えぬいたのである。

直江兼続の甲《かぶと》の前立《まえだ》ては「愛」の一字だ。合戦場に臨んで人を殺したり傷つけたりする武士がいったい何で「愛」などという文字を甲の前立てにしたのだろうか、平洲も不思議に思った。平洲は実学を重んずるから農民の耕作にも深い関心を持っている。農業指導書などにも眼を通す。その中に、

『四季農戒書』

というのがある。直江兼続が書いたものだと伝えられている。面白い本だ。たとえば、

「田植えの時期に、女性は化粧をし赤い腰巻を巻いて、それをチラチラさせながら田の中で働いている男たちに弁当を届けろ。そうすると、その赤い腰巻をみて男たちはいよいよ張り切って働くぞ」

などというくだりがある。あるいは、

「田植えなどの忙しい時期に、田に出てこないで家にこもっている女性がいたとすれば、それは必ず旅の行商人と密通しているにちがいない。こんな女性は早く追い出したほうがよい」

などという一文がある。つまり農民の生活実態やその心情を知り尽くした農業指導書なのである。

「本当に直江兼続が書いたのか?」

と疑う向きもあるが、平洲は、

(直江兼続殿らしい農業指導書だ)

と思っている。しかし上杉治憲はなぜ突然佐藤文四郎にこの直江の話をしたのだろうか。文四郎は次のように書いている。

「関ヶ原の合戦で徳川家康殿に睨《にら》まれた上杉家は、会津百二十万石から一挙に米沢三十万石に減封されました。直江兼続殿は関ヶ原合戦の西軍の将であった石田三成殿とは義兄弟です。そのため石田殿に味方をし、徳川殿に罰されたのです。したがって、ふつうに考えれば敗戦と減封の責任は直江殿にあります。尋常の武士であったら当然切腹して責任を取ったことでしょう。ところが直江殿はそうはしませんでした。生き残りました。恥を堪《こら》えて生き残ったのです」

文四郎の手紙はさらにつづく。

細井平洲は佐藤文四郎が書いてきた手紙の中で、直江兼続という人物に改めて関心を持った。直江兼続の名は細井平洲も前から知っていた。戦国末期から江戸初期の名軍師といわれた武将で、上杉謙信に可愛がられた。そして謙信の養子景勝に仕えて、豊臣秀吉や徳川家康からずいぶん誘われたが絶対に景勝のもとを離れなかった。つまり、

「忠臣は二君《にくん》に仕えず」

という信念を貫いたのである。佐藤文四郎はその兼続についてさらに次のように書いている。

「関ヶ原の合戦で敗れた直江兼続殿は、主人上杉景勝殿に対し、今後上杉家の経営方針を武から農に切り替えましょう、その基礎はわたくしが責任をもってつく

らせていただきますと申されました。それは兼続殿の先見力からすれば、今後日本国内において二度と大きな合戦はない、つまり平和に運営されるとみたのです。その平和に運営される日本国内において、米沢の地を領有する上杉家がどのように生きていけばいいかを、勇気をもって〝武から農へ〟と転換なさいました。いってみれば武門の誉《ほま》れ高い上杉家が今後は〝農業立国〟によって国を支えていくということです。しかしこれはいうは易《やす》くおこなうのは容易ではありません。なぜなら上杉家の家臣団はすべて武を重んじ、先代の謙信公以来、鍛えに鍛え抜かれて戦国最強の軍団といわれていたからです。当然多くの反対の声があがりました。

　同時に農で生きなければならない立場に立つということは、武士として非常に恥辱です。そのため『今回の敗戦の責任は貴殿《きでん》にある』と直江兼続殿に責任を迫る武士もたくさんおりました。兼続殿はじっと耐えられました。もちろん兼続殿も立派な武士ですから敗戦責任は十分認識しておられます。そしてご自身『腹を切ってお詫《わ》びをすべきだ』と考えておられました。

　しかし兼続殿は『腹を切るのは簡単だ。そして死ぬことによって責任はのがれられる。しかしそれではほんとうに敗戦の責任をとったことにはならない。米沢藩上杉家をどのように存続させるかをしっかとみきわめなければ自分の責任は償えない。その償いとして、武から農に切り替えるのだ。ここはどんなに自分が石の礫《つぶて》を投げられようともがまんして、上杉家の経営方針を切り替えなければならない。そのためには家臣団の意識変革が先決だ』とお考えになったのです」

以下、直江兼続の考えを佐藤文四郎は感動的な筆致で書き綴《つづ》っていた。要約すると次のようになる。

・直江兼続殿は先代の上杉謙信公を尊敬しておられました。謙信公も兼続殿を可愛がり、子どものときからひき立てて小姓にしたり軍師にしたりなさいました。いってみれば、兼続殿にとって謙信公は主人というだけではなく師でもあったのです。

・謙信公の軍旗は「毘」の一文字です。武田信玄殿が「風林火山」を軍旗になさったのと同じです。毘は毘沙門天をさします。謙信公は毘沙門天の熱烈な信仰者でした。

・毘沙門天は仏を守る守護神で、北方を担当しております。ですから上杉謙信公は越後の春日山城に拠点を定められてから、ご自身を「北国の守護神」をもって任じておられました。

・守護神というのは単に仏に対する敵をほろぼすだけではありません。その地域の民を守る役割も負っています。つまり謙信公は「自分は北の護民官である」と認識されておられました。

・謙信公はまたご自身を〝義将〟と称されておられました。これは上杉家の領土拡張のための合戦は絶対に起こさないという信念からきております。そして謙信公に助けを求めてくる他国の武将がいれば、その事情をきいてそれが正しいと思えばその武将から領地を奪った敵を懲らしめるということです。このころの謙信公の敵は主として武田信玄殿でした。武田殿は、甲斐の守護でありながら、しきりに隣国の信濃国を侵《おか》しました。そしてそれぞれの土地を支配していた武将を追い出しました。追われた武将が次々と謙信公のところに逃げこんできました。そして武田信玄殿の不法を訴えました。謙信公は怒り「あなた方に代わってわたしが武田信玄を懲らしめます」と宣言しました。

・こうして起こったのが川中島の合戦であり、この合戦は五度も六度もつづきました。しかし勝敗がつかないうちに謙信公も信玄殿も亡くなりました。

・直江兼続殿は、謙信公のこの教えをその後の自分の信条になさいました。つまり「上杉家は北の守護神である」ということと「護民官である」ということのふたつです。

・関ヶ原敗戦後、兼続殿はこれを新しい上杉家の経営方針の底に据えたのです。

・初代の藩主となった上杉景勝公もこれをお認めになりました。そこで「北の守護神であると同時に、民を守る護民官である」という米沢城の武士たちの歩く道は定められました。わが治憲公もこのことをお知りになり、「これこそ米沢藩上杉家が上下をあげて守らなければならない鉄則である」とお考えになったのです。

財政難の時こそ人づくりを

読み終わって細井平洲は感動した。佐藤文四郎が書いた上杉家の経営方針に改めて、

(そうだったのか)

と感動した。そしてそのことはそのまま自分が上杉治憲に教えた、

「あなたは治者《ちしや》として、常に民の父母におなりください」

と告げたこととみごとに一致していることを知った。

(直江兼続殿はさすがに立派な武人であったな)

と改めて兼続に対する敬愛の念を増した。

上杉治憲が米沢へ入国して以来、江戸の桜田藩邸から次々と武士が米沢に召し出された。しかもその連中は米沢本国から、

「トラブルメーカー」

として左遷されていた人物ばかりである。その先頭に立っていたのが竹俣当《たけのまたまさ》

綱《つな》だった。竹俣は米沢に呼ばれるとすぐ「執政《しっせい》（筆頭家老《ひっとうがろう》）」に任命された。竹俣は治憲の経営改革方針をきいた直後、単独で治憲の居室にいって進言した。それは、

・財政難のときこそ人材育成の教育が大切であること。
・そのためには新しく学館《がっかん》（学校・研修所）を創設すること。
・初代の館長には、ぜひとも細井平洲先生をお招きすること。

という内容だった。治憲は眼を輝かせてうなずいた。

「竹俣、良いことをいう。わたしも同じことを考えていた。おまえのほうからいい出してくれて大変うれしい」

と感動した、しかしこうきいた。

「学校をつくるといっても金がかかる。いまのような赤字財政下でそれは可能なのか」

これをきくと竹俣当綱はしぶとい笑顔をみせた。竹俣はかつて、現在の米沢藩上杉家の大赤字を出す主因となった、森という重役を刺殺している。重役が重役を殺すという血腥《ちなまぐさ》い事件の先頭に、竹俣は立っていた。しかしかれは、

「それをやらなければ上杉家は再建できない」

と信じていた。だから竹俣当綱が江戸藩邸にとばされたのは、ほかのトラブル

メーカーたちと同じ理由ではない。本国にいればそのまま旧森派がいっせいに竹俣を襲う恐れがあったからである。時の藩主は上杉重定だったが、竹俣当綱を信頼していた。重定は、

「わしがいたらぬために、おまえがわしの前面に立って弁慶のような役割を果たしてくれた。わしは源義経ほどの器量もない。しかし、このまま米沢城にいるとおまえの生命《いのち》が危ない。しばらく江戸へ退避してくれ」

と説得して、江戸藩邸に移したのである。竹俣当綱は重定の好意を知っていた。うつむいて肩を震わせた。重定の温情が身に染みて嗚咽《おえつ》したのである。その竹俣当綱がふたたび米沢城に戻り、新藩主上杉治憲によって執政に任命された。竹俣派はよろこんだ。しかし森派は渋い表情になった。

(おのれ竹俣め、そのままではすまぬぞ)

とあいかわらず竹俣当綱に対する憎悪の念を燃やした。しかし竹俣当綱はそういう憎しみの視線を十分に感じつつも、

(おれは昔のおれではない)

と思っていた。江戸藩邸にいた数年間で完全にかれは自分の心を定めていた。

それは、

(新しい人間に生まれ変わって、新しいお殿様に尽くす)

　ということである。だから青年藩主上杉治憲の正命《しょうめい》にもよろこんで応じた。

竹俣は、

「前藩主重定公だったら頼りなくて二度と米沢に戻る気は起こらなかっただろう。しかし新しい藩主治憲様は違う。民の父母におなりになろうとする強い意志を持っておいでだ。私的なことはまったく考えない。このお心構えに感動した。どうせいったん捨てた生命だ。いま生きているだけでも儲《もう》けものだ。この生命を新しいお殿様に捧《ささ》げても決して悔いはない」

と考えていた。そして養子藩主治憲にそういう力を与えた細井平洲という学者に感動していた。すでに竹俣たちを米沢で指導した学者医師藁科松伯《わらしなしょうはく》は死んでいる。

（藁科先生の代わりをおつとめになるだけではない。藁科先生以上の指導力をお持ちだ。新藩主治憲公にとっても、細井平洲先生が磐石《ばんじゃく》の支えになる）

と平洲を高く評価している。というよりも、竹俣自身が平洲を頼りにしていた。

そこで、

「この際、思い切って学校を創設し、細井平洲先生を初代の館長としてお招きすべきです」

と進言したのである。その治憲はこれを快く受けとめながらも金の心配をした。

竹俣が笑ったのは、治憲が米沢城内において全家臣に対し、

「倹約とケチは違うぞ」

と明言したからだ。治憲のいうのは、

「倹約もケチも節約をする。しかし両者が違うのは、ケチは自分のためにしか金を使わず、倹約は民のために使う。これが大きな差だ」

ということだ。脇《わき》できいていて竹俣当綱は心の中で微笑した。

(殿は良いことをおっしゃる。まさに倹約が大事であって、節約をしてもケチになることではない)

と思った。だから学校をつくるということは、必要な経費を生むために相当きびしい節約をおこなう。しかし節約をして余らせた金は、これから育つ若い連中の教育や、いま米沢城に勤める中高年武士の意識を完全に切り替えるための研修をおこなうのだ。すぐ効果をあらわすような事業ではない。しかし竹俣当綱は、
・改革には短期の改革と長期の改革がある。
・短期の改革とは、目前の危機を克服することだ。そして長期の改革とは、いま藩内にいる子どもたちに、先に歩くおとなたちがどんな財産を残してやるかを示すことだ。
・したがって改革は、この短期的危機克服と長期的危機克服の二本を同時進行

させなければならない。

と思っている。

治憲の心配を払拭《ふっしょく》するように竹俣はこう応じた。

「倹約とケチとは違うぞ、と仰《おお》せられた殿のお言葉をこの竹俣は信じております。したがって、学校建設の費用は大いに節約政策によって生み出します。それを使うことは殿のおっしゃる立派な倹約になりましょう」

「そうか、そういうことだったのか」

治憲は笑った。そして、

「当綱は頼もしい執政だ。安心した。早速細井先生をお招きする使いを江戸に送って欲しい」

といった。竹俣はうなずいて平伏《ひれふ》した。

「竹俣」

去ろうとする竹俣を治憲が呼びとめた。

「はい」

「新しい学校をつくるといってもおまえは執政としてたくさんやることがある。学校建設にだけ力を注ぐことはできまい。誰か代わりによい者はおらぬか」

「おります」

「誰だ」

「神保綱忠でございます」

「おう、あの神保か」

治憲は思わず微笑《ほほえ》んだ。神保綱忠も江戸へ追われたグループのひとりだ。しかし性格がまじめでまさに誠実一辺倒の人物だ。それに学問も深い。江戸藩邸では、

「孔子先生」

などとふざけて呼ぶ者もいた。神保は怒る。そして、

「古代の大聖人に対して失礼だ。二度とそんな呼び方をするな」

と憤激した。からかった者は神保の剣幕に恐れて、

「おう怖い、怖い。孔子先生がお怒りだ」

とまたからかった。神保は立ち上がる。そして、

「きさま、斬《き》るぞ!」

と本気になってからかった武士を追いまわした。治憲はそういう神保の姿を何度みたかわからない。

米沢城内で重役会議が開かれた。竹俣当綱の案を治憲が発表した。保守的な重役たちはいっせいに反対した。

「文字通り火の車に乗っているような上杉家が、ここでまた新しく学校をつくる

などとんでもない話でございます。学校はそもそも金食い虫でございます。そんな虫を新しく飼うことには反対でございます」

　そう告げた。多くの重役が共感の意を表した。しかし治憲は引かなかった。

「財政難の折りにこそ人づくりが大切なのだ。たしかに学校は金食い虫ともみえよう。しかしその分かねてから頼んだように、城の経費を節約し、なんとしてでも新しい学校を建てたい。それが、目前の危機を克服することにも役立つ。ぜひ協力して欲しい。初代の学長には江戸から細井平洲先生をお招きする。すでに細井先生へのお願いは使者をもって伝えてある」

といった。毅然《きぜん》としていて怯《ひる》むところがない。脇にいた竹俣はほっとした。正直にいって、

（おれひとりでは到底こいつらを説得することはできない）

と思っていたからである。しかしこういうときの治憲はじつに頼もしい。それは細井平洲から教えられた、

「治者は民の父母である」

という意識が前面に出てきて、怯もうとする治憲の精神をしっかりと支えるからだ。平洲はかつて治憲にこういったことがある。

「殿はたとえてみれば、山の上の一本松でございます。風当たりが強うございま

すぞ。しかし吹き倒されてはなりませぬ。殿は松の幹でございます。多くの枝葉が殿にすがっております。枝葉はまず民でございます。民を養う幹としては、たとえどんなに風が強かろうと吹き倒されてはなりませぬ。ご自身が枝を支えなければなりませぬ。そのためには、民から滋養分を得るのではなく、土の中から根によって滋養分を吸い上げることが必要でございましょう。つまり、自分で自分を支える努力が必要でございます。よろしゅうございますな。どんなにつらくても幹はその孤独に耐えなければなりませぬぞ」

これをきいた治憲は感動に眼を輝かせて大きくうなずいた。

「細井先生、ありがたいご助言です。おっしゃるようにわたくしは山の上の一本松の幹として頑張ります。自分で自分を支えます。決して幹が先に倒れて、頼りにする枝葉が死ぬような真似《まね》は絶対にいたしません」

「頼もしいお言葉です。ぜひご努力ください」

そんなやり取りをした。上杉治憲は事実そのとき細井平洲のこの教えの言葉を思い出していた。

米沢から上杉治憲の使者が江戸の嚶鳴館にやってきた。嚶鳴館は細井平洲の私塾である。

「ぜひ、米沢へおこしいただきたい」

という治憲の口上《こうじょう》を使者からきいた平洲は感動した。

「お受けいたします」

と即座に返事をした。その夜、神保綱忠がやってきた。そして、

「先生、米沢へおいでいただけるそうでございますな。わたくしがお供をさせていただきます」

といった。平洲は喜んだ。

「頼もしい同行者ができて、この老骨、誠に心強く存じます」

といった。神保は、

「とんでもございません。先生の足手まといにならなければいいがと懸念しております」

と謙遜《けんそん》した。平洲はすでに神保綱忠が治憲のつくる新しい学校の諸事取扱いとして任命されたことをきかされていた。おそらく新しい学校ができれば、教育面を平洲が受け持ち、神保は一般の事務を扱うことになるのだろう。ふたりが出発したのは明和八（一七七一）年四月二十四日のことである。嚶鳴館の留守塾長には関温卿《せきおんけい》を選んだ。関も、

「先生、留守のご心配はどうぞなさいませんように。微力ながら嚶鳴館を守りとおしますので、どうかご安堵《あんど》のうえ治憲公のためにご努力ください」

といった。平洲は安心した。細井平洲・神保綱忠のふたりが米沢に到着するのは五月二日のことである。米沢藩ではすでに治憲の指示によって、城内馬場御殿松桜館《しょうおうかん》を平洲の宿舎として準備を整えていた。

この旅については、とくに印象に残ったエピソードだけを書こう。ただし、わたしは小説家なので、ここに書くエピソードも歴史的事実かどうかということになると、多少疑問が残る。その意味で、物書きというのは歴史に〝イフ（もし）〟を持ちこむので、あるいはあったかもしれない、という寛容なお気持ちで読んでいただきたい。

現在、東京から米沢にいくのには、東北新幹線が福島で分かれる山形新幹線に乗ると速い。福島まで約一時間半、そして米沢まで約三十分で二時間くらいでいける。が、新幹線が通る前は大変だった。奥羽本線《おううほんせん》の福島の次は笹木野・庭坂・赤岩・板谷・峠・大沢・関根とたどって米沢に着く。しかし福島から米沢へ越える山は大変な豪雪地帯で、雪を避けるためにも赤岩・板谷・峠・大沢の四駅はすべてスイッチバックだった。そのころのスイッチバックの光景が現在もみられるように、木でつくった小屋風の当時の駅がそのまま保存されている。その雪の中を越えていくのだから、上杉治憲が福島から米沢に入っていった行程は、さぞかしつらいものだったにちがいない。上杉治憲が江戸を発って米沢に向かったのは十月十九日のことであり、着いたのは十月二十七日のことだ。十月といっても旧暦のことだから、いまでいえば十一月の末から十二月の初旬になる。完全に雪の道だ。

「さぞ治憲公はおつらかったことでしょうな」

山道を歩きながら、細井平洲は神保綱忠にきいた。神保はうなずいた。

「当時板谷宿にお着きになっても、宿がございませんでした。治憲公はお気の毒にもお休みすることなく、そのまま城へ向かわれました」

「それはおいたわしい。なぜ宿の準備が整わなかったのですか」

「物価高と藩の課役《かえき》がきびしくて、旅館業も営業をするのには状況が許さなかったのでございます。食物もこの山の上まではほとんど運びこまれませんので、良心的な旅館業者は休業するよりほかに手がございませんでした。そしてまた治憲公のお国入りも、城の方からきちんと予告をしなかったので、そういうきびしい目におあいになったのでございます」

神保綱忠の口調には義憤めいた怒りがこめられていた。つまり道筋の宿場に対し城側からの通知が遅れたというのは、あきらかに新藩主に対する嫌がらせだ。福島から険しい山道をたどった平洲・神保のふたりは、神保の案内でやがて板谷宿に着いた。

「ここが出羽国の入り口になります」

神保はそう説明した。大坂屋という旅宿に入った。上杉治憲が藩主になってから多少息を吹き返したのだろう、宿場町としての板谷はかなり賑《にぎ》わいを取り戻していた。治憲が入国したときの寂れ方はいつの間にか回復していた。佐藤という若い主人が出てきて、神保に挨拶《あいさつ》した。

「神保様、お久しゅうございます」

「主人か、元気そうでなによりだ。江戸にいたときは、宿場の寂れぶりをよくきいたが、いまはそんなことはなさそうだな」

「新しいお殿様のご施策がいき届いているからでございます。こんな山の奥にまで、いろいろとお心配りを頂いております。板谷宿の住民も息を吹き返しました」

「なによりだ。きいたところでは、治憲様がご入国の折りこの宿場は寂れ果てていて、治憲様は駕籠《かご》の中で灰皿の灰の中から、火種《ひだね》をお探しになったという。雲泥の差だな」

「こう申してはなんでございますが、やはり上に立つ方のお考えひとつで、下々の町も元気が出たりなくなったりいたします。今度のお殿様はお若いけれども、われわれにとっては希望の星でございます」

「おまえは正直な男だから、腹にないことはいうまい。それをきいて安心した。ここにおられるのは、その新しいお殿様の学問の師であられる細井平洲先生だ」

神保綱忠は佐藤という大坂屋の主人にそう紹介した。佐藤も学問好きらしい。神保からの紹介をきくともう一度頭を畳にすりつけて、

「これは、江戸から米沢までお運びいただきまして誠にありがとうございます。われわれも学問が好きでございますので、折りがあれば先生のお教えを伺いとうございます」

そんなことをいった。

神保綱忠が佐藤にきいた。

「大野《おおの》殿の墓は健在か」

「はい、あのまま保存してございます」

「そうか、あしたは細井先生をご案内しようと思ってな」

「それはよろしゅうございますね。ぜひ、細井先生にもご覧いただきとうございます」

このときの神保と宿の主人の会話が平洲にはみえなかった。ふたりが何をいっているのかわからない。ただ、大野という人名だけが耳に残った。主人が、

「ごゆっくりどうぞ」

といって去ると、平洲は神保にきいた。

「先ほど宿の主人と話された大野というのはどなたですか」

「大野九郎兵衛《くろべえ》のことですよ」

「大野九郎兵衛？」

平洲はきき返した。

「そうです。忠臣蔵《ちゅうしんぐら》の大野九郎兵衛です」

「その大野九郎兵衛の墓がここにあるのですか」

「そうです」

神保綱忠は自信を持ってうなずいた。平洲は呆《あき》れた。

「そんなことがあるはずがないでしょう」

そういった。大野九郎兵衛というのは忠臣蔵事件で悪臣のレッテルを貼《は》られた武士だ。赤穂藩浅野《あこうはんあさの》家の財政を担当する家老だったが、主人の浅野内匠頭《たくみのかみ》が江戸城で刃傷《にんじょう》事件を起こし、家がつぶされたとき、まっ先に赤穂城の公金を横領して逃げ去ったといわれている人物だ。反対に大石内蔵助《おおいしくらのすけ》が中心となり、四十六人の同志とともに主人の仇《かたき》をとったことは有名だ。元禄《げんろく》年間の一大事件として、いまも語り継がれている。その悪臣の大野九郎兵衛の墓がなんでこんな米沢に近い山奥にあるのか、細井平洲には理解できなかった。神保綱忠は説明した。それに

よると、

・大野九郎兵衛は決して悪臣ではない、むしろ忠臣だった。

・主人浅野内匠頭の無念を晴らすために、大野は大石と相談した。

・大石は、世上《せじょう》伝えられているように四十六人の同志とともに江戸にいき、吉《き》良《ら》邸に討ち入る。

・しかし、仇敵《きゅうてき》の吉良上野介《こうずけのすけ》の実子は米沢藩主上杉綱憲《つなのり》だ。綱憲は上杉家四代目の当主にあたる。

・したがって、江戸で大石一派が襲撃に失敗すれば、当然吉良上野介は米沢城に逃げこむ。いや、大石たちが斬りこむ前に吉良は米沢にいってしまうかもしれない。

・大石の仇討《あだう》ちはそういうきわどい時期におこなわれた。そこで大野は大石と心を合わせ「もし、大石殿たちの襲撃が失敗したら、自分が数人の仲間とともに、米沢の入口である板谷峠で待ち構え、これを討ち果たそう」と告げた。

・やがて、「大石の襲撃が成功し、四十七人の同志が主人の恨みを晴らした」という報告がきた。

・安心した大野九郎兵衛は「もう生きている必要はない」といって、板谷峠の林の中で立派に腹を切って自決した。

「その大野九郎兵衛の心根を知っていたこの宿の主人が、つまりいまの主人の先祖ですね、この人が自決の場所に墓を建てたのです。それがこの地域では代々〝大野九郎兵衛の墓〟として伝えられているのです。先生、あしたその墓をみにいきましょう」

語り終わった神保綱忠はそう告げた。細井平洲は関心を持ち、

「ぜひ、案内してください」

とうなずいた。楽しみがひとつできた。こんな話は誰も知るまい。あの忠臣蔵で悪評をこうむった大野九郎兵衛がじつは忠臣であって、しかも米沢の入口である板谷峠で腹を切り、地域の人がその心根を哀れんで墓をつくって残している、などという話はほんとうに美しい話だ。細井平洲はこういう話が大好きだ。

(また、わたしの話の持ちネタが増えた)

とよろこんだ。

昨夜雨が降ったので、道はぬかるみだった。宿の主人の案内で、細井平洲と神保綱忠はそのぬかるみ道をたどりながら、林の中に入っていった。

「ここですよ」

主人の佐藤が一本の石の標柱を指さした。正面に、

「南無阿弥陀仏《なむあみだぶつ》」

　と彫られ、脇に、

「明和六年己丑《つちのとうし》七月十六日　施主佐藤氏」

　と彫りこまれていた。平洲は主人の顔をみた。

「これが大野九郎兵衛の墓なのですか」

「そうです」

　墓のどこにも大野九郎兵衛という名がみあたらないので平洲はそうきいたのだ。しかし主人の佐藤には自信があった。主人はこういった。

「たとえ、大野九郎兵衛さんの名が刻まれていなくても、わたしの家では先祖代々伝えられてきた話です。わたしは先祖の話を信じます。これはたしかに大野九郎兵衛さんの墓です」

　きっぱりいい切るその態度に平洲は胸を打たれた。そして、

（この世には、こういうことがあるのだ）

　ということを改めて知った。つまり大坂屋の主人佐藤の話は、場合によっては、

「事実ではなく虚偽」

　であるかもしれない。しかしたとえ虚偽であっても、それを伝える人が真実だと思えば、その虚偽は真実になる。どこにも名が刻まれていないこの一本の標柱

を、

「大野九郎兵衛の墓だ」

と、地域で代々信じていれば、それは虚偽が真実となり、真実が事実に変わるのだ。人間の伝承にこんなことはたくさんある。そして人間としては、

「たとえ虚偽であっても、それが真実だと信じ抜けば、いつかは真実が事実となって後世に伝わる」

ということになる。細井平洲は改めて、

「地域に伝わる真実の尊さ」

に感動した。平洲も、

(この標柱を大野九郎兵衛殿の墓と信じよう)

と思い立った。大坂屋の主人はまだ若い。二十歳《はたち》を過ぎたばかりだろう。眼を美しく輝かせる青年だ。その佐藤がいった。

「とくにわたくしの父はこの墓を大切にお守りしてきました。ですから、わたしもかなり思い入れがあるのですよ」

その言葉にウソはなかろう。平洲はそういう地域の人びとの心根に感動する。

「ご主人、じつに良いものをみせていただきました。これで、わたしの旅での自慢話がまたひとつ増えましたよ」

平洲はそういって微笑んだ。宿の主人もうれしそうに微笑み返した。

翌朝、板谷宿の空は澄みわたっていた。

早く起きた平洲は庭に出て大きく腕を伸ばし、きれいな空気を胸いっぱい吸いこんだ。庭の隅に古木があった。平洲は必ずしも健康ではない。よく病気をする。

「気持ちがいい」

山道を越えてきたので足腰が痛んだ。

「きょうは杖《つえ》がいるな」

そう思った。神保綱忠の話ではまだまだ山道がつづくそうだ。平洲は古木に近寄った。そしてじっと眺めたのち、枝ぶりのいいところを力をこめて折った。枝はポキリと折れた。平洲はそれをほどよい長さにし、きょうの杖にしようと思った。すると、

「先生、何をなさるのですか！」

と、けたたましい声がし、慌ただしい足取りで若主人がとんできた。平洲はびっくりした。

「ご主人、どうかしましたか」

「どうかしたどころではありませんよ。その枝を折ってはいけないのです！」

「ええっ」

平洲はびっくりした。こんな枯れた木の枝を折ったことのどこが悪いのだろうか、とかれには若主人の慌てぶりが呑《の》みこめなかった。

「この枯れた木から、枝を折ってはいけなかったのですか」

改めてきいた。若主人は大きく何度もうなずいた。そして、ポロポロ泣き出した。

「ああ、どうしよう、どうしよう」

と空を仰いでは拳《こぶし》で眼の涙をぬぐっている。ちょっと大げさではないのかと思った平洲はきいた。

「わたしが何か悪いことをしましたか」

「しましたとも」

若主人はうなずく。平洲は、

「訳をきかせてください」

と告げた。若主人の涙ながらの説明は次のようになる。

・枯れた木は、若主人の父親が心から愛した植木だった。

・しかし、丹精の甲斐《かい》もなく枯れてしまった。

・しかし父親は死ぬときに、あの木を大事にして欲しい、手入れによっては必ず生き返るから、と遺言した。

・そのため、若主人はいまでも毎朝肥料を与えながら、枯木が元に戻ることを願いつつ手入れをしている。
・にもかかわらず、その大切な父の遺品といってもいい木から、平洲先生は枝を一本折ってしまった、どうしてくれるのですか。

ということである。

説明をきいて平洲は呆然《ぼうぜん》とした。宿の若主人の、悲鳴のような非難の声をきいて、細井平洲は思わずアッと叫んだ。

（わたしはとんでもないことをしてしまった）

という後悔の念が、ドッと胸に駈《か》け上がってきた。しかしもうどうにもならない。折られた枝はいま平洲の手の中にある。しかも平洲は、その枝をきょうの旅の杖に使うつもりだ。が、若主人の話をきいてみれば、じつに罪深いことをしたことになる。

「気がつかなかった。それほど大切な枯木だとは思わなかったのです。お詫《わ》びのしようもない。許してください」

平洲はしおれて若主人に頭を下げた。しかし若主人は許すとも許さないともいわずに泣きじゃくっている。おそらく若主人にとっては、この古木が亡き父と交流できる唯一の生き甲斐だったのだ。その大事な生き甲斐を平洲が心なく折ってしまった。しかも杖に使うという。若主人にとっては地団駄踏んでも我慢できないことであるのにちがいない。が、相手は新藩主上杉治憲公の学問の先生だ。怒鳴りつけるわけにもいかない。そういう複雑な気持ちで若主人は悲しそうに苦悶《くもん》した。その姿がいかにも哀れで平洲はひたすら謝った。

この光景を見ていた神保綱忠が助け船を出した。

「佐藤さんよ、細井先生も悪気があってその枝を折ったわけではない。第一こんなに木が枯れていれば、枝を一本くらい折ってもさしつかえなかろう、と思うのがふつうだ。それほど大切な枯木なら、おまえも事前に先生に説明しておくべきだった。また、木のまわりに囲いをつくって、大事に保存しているということを世間に示すべきだ。まあそれ以上追及するな。先生もお困りになる。これから米沢城においでになるというのに、おまえに泣きつかれると先生もどうしていいかおわかりにならないだろう。な」

そういった。

苦悶していた若主人も神保の言葉にやがて気を鎮めた。うなずいた。平洲に向かい、

「先生、みっともないところをお見せしお許しください。どうかその枝はきょう

の杖としてお使いください。考えてみれば、そうしてくださるほうが父親も満足するかもしれません。枯木になっても、枝が先生のような方のお役に立てば、こんなうれしいことはないでしょう。わたしの考え違いでした。取り乱してほんとうに申し訳ございません」

素直な若主人の謝罪に平洲のほうがまごついた。改めて自分の心ない行為を謝った。そして平洲はこのことを良い教訓とした。

（これからは、たとえ枯木でも自分の勝手で折るようなことは止《や》めよう）

と思った。持ち主のあるものについては、たとえ枯木であっても、持ち主の了解を得なければ折ってはいけないのだ、ということを自分にいいきかせたのである。細井平洲はこういう体験をその後『小語』という随筆集に書いている。この本に書かれたことは、すべて平洲が見たり聞いたりしたことなので迫真性がある。この古木の話も『小語』の中に書かれている。それを筆者は多少かたちを変えてご紹介した。しかし平洲先生らしい、いい話だ。というのは、『小語』に収録されている話は、すべて平洲先生の体験か、あるいは親しい人から聞いた〝美談〟ばかりだからである。それは言葉をかえれば、

「平洲先生が出会った日本人の美しい心」

を綴《つづ》った本だ、といっていい。平洲先生はいつ、どこにいても、この、

「美しい心の発見」

に努力した。平洲先生は心の中に一枚の鏡を持っていた。その鏡は、

「人間の心や、世の中のできごとをそのまま映す道具」

であった。平洲先生は常にこの鏡を磨いた。つまり、

「もし鏡を曇らせたなら、映る人の心や世の中のできごとも歪《ゆが》んでしまう」

と思っていたからである。鏡が曇るというのは、

「自分の心に欲心や邪《よこしま》な心が湧《わ》いたときだ。その汚《けが》れた心が鏡を曇らせてしまう。そうなると、ほんとうのことがわからなくなる」

と思っていた。つまり、

「心の鏡が曇らないように、いつもきれいに磨いておかなければならない」

ということだ。心の鏡を磨くということは、そのまま自分の心をきれいな状態におくということだ。平洲先生はそういう努力をつづけていた。だからこそ、いま板谷峠のこの宿で、若主人が亡き父を偲《しの》ぶ古木から平洲先生が枝を一本折ったことに対し嘆き悲しむ姿を、そのまま鏡に映しとったのである。平洲先生の心の中では、鏡も泣いていた。若主人の涙に濡《ぬ》れていた。しかし平洲先生は、この失敗を良い教訓にした。

（米沢城に着いたら、まず治憲公に自分の失敗をお話ししよう）

と思った。それは米沢の入口で経験したこの古木の話が、

「治憲公のご領地にも、こういう美しい心を持った庶民がいるのです」

とまず伝えることになり、そのことが、治憲の今後の施政にも大いに役立つだろうと思ったからである。また佐藤という板谷宿の若主人がいってくれた、

「枯木の枝が先生のお役に立つのなら、かえってそのほうが父親にとっても喜びかもしれません」

という一言は、大きな励ましになった。平洲は若主人のそういう心の転換に感動した。悲しみを逆に枝を折った平洲への励ましに変える若主人の意識の転換が、

「人間の心には限りない美しさがひそんでいる」

ということを教えてくれたからである。

藩校は心の学校です

長い峠を越えて、道はしだいに下り坂になった。やがて平洲は関根というところに着いた。道の端に米沢城からきた武士がいて、

「近くに普門院《ふもんいん》という寺がございます。そこですこしお休みください」

と告げた。案内されて平洲は普門院にいった。門の前に、ひとりの武士が立っていた。

「細井先生」

その武士は満面に笑みを浮かべ、懐かしそうに大声で呼んだ。見覚えがあった。平洲も応じた。

「佐藤さん」

待っていたのは治憲の近習《きんじゅ》佐藤文四郎だ。硬骨漢である。平洲の心は和んだ。

（さすが治憲公らしい。迎えに佐藤さんを寄越すなど、細かいお心遣いだ）

と感じた。そのとおりだった。上杉治憲は細井平洲が米沢城に入る前に、

「学者としての入国の心得」を伝えようとしていた。いわば、細井平洲米沢入りのためのオリエンテーションである。佐藤文四郎はそれができる人物だった。治憲の信頼を一身に受けている。前向きの性格なので、訪れる危難も片っ端から勇気をもって払いのけていく。剛直な武士であった。江戸藩邸にいたときから細井平洲は佐藤文四郎を愛していた。

普門院の一室で、佐藤文四郎は上杉治憲の言葉を正確に伝えた。まず、

「お館《やかた》様（治憲）は、入国早々全藩士を大広間に集めて、学問は治国《ちこく》の根源である、と仰《おお》せられました」

と切り出した。つづけて、

「いま米沢の城下に細工町というところがありますが、そこに住む片山一積《かたやまいっせき》という藩の学者の家を、新しい藩立の学校に改造しております。ほとんど、新しい学校を建設するといってよいのですが、お館様は決して新しい学校を建てるとはおっしゃいません」

「ほう、それはどういうことですか」

興味を持って平洲は聞いた。佐藤文四郎は、

「お館様は、新しい学校を〝再興〟とおっしゃっておられます」

「………？」

平洲には文四郎の話が読めない。無言のまま眼で疑問を色にあらわした。文四郎はうなずいた。

文四郎の説明によると、新しく建てる学校に〝再興〟という言葉を使うのは、次のようないきさつがあった。

・米沢藩上杉家にとって、学校をつくるのは今回がはじめてではない。先例があった。

・最初に藩校をつくったのは、上杉家の四代目の藩主綱憲公である。綱憲公は幕府の高家《こうけ》・吉良上野介義央《きらこうずけのすけよしひさ》の子であったが、上杉家に養子に入った。しかし名君で、とくに学問の奨励に力を尽くした。「学問所」と呼ぶ藩校を創設した。

・が、その後藩校は廃《すた》れ、必ずしも藩士の教育に機能してこなかった。

・治憲公は、この学問所を整備拡大して、新しく藩士や一般農庶民の教育機関に当てようとお考えになった。

・いま、細工町の片山一積の敷地に建てられている学校は、従来の学問所とは比べようのない規模の大きなものだが、治憲公は決して「新設」という言葉を使わずに、あくまでも「再興」という言葉をお使いになっている。

・これは治憲公の「先君《せんくん》の実績を重んずる」というお心のあらわれで、決してご自身のなさる改革の一環に、「藩校を創設する」というお気持ちをお示しにはならない。

「どうか、そういう次第でございますので、先生もいまつくりつつある新しい学校が完成しても、それは新設ではなく、あくまでも〝再興〟だというお館様のお気持ちを、お汲《く》みとりいただきとうございます」

文四郎はそう告げた。平洲は悟った。つまり、

（治憲公はこのことを、佐藤文四郎を通じてわたしにしっかりと認識させるおつもりなのだ）

つまり上杉治憲の考えでは、今度細井平洲を米沢に迎えるにあたっても、平洲が決して、

「米沢藩で新しく建てた学校の責任者としておもむいてきた」

と考えないで欲しいということだ。俗な言葉を使えば〝釘《くぎ》をさした〟ということである。平洲の米沢入りは、

「米沢藩に昔からあった学校を整備拡充するので、その指導をお願いしたい」

と告げているのである。平洲はしみじみと、

（お若いのにもかかわらず、治憲公のご先祖に対するご孝心はみあげたものだ）

と感じた。治憲がこれから展開する改革の中には、場合によっては、

「先例を覆す」

ということが多々あるにちがいない。そんなことをすれば当然軋轢《あつれき》が起こる。

しかし治憲は、

「志《こころざし》を遂げるためには、軋轢を極力少なくしたい」

と考えているのだ。藩校の再興というのもその一例だろう。得てして改革者は、

「自分の業績」

を立てたいがために、いままでの例を片っ端から覆す。しかし治憲は違った。

「自分の改革はかなり激しいものになる。したがって、極力抵抗を少なくしたい」

と考えているのだろう。この年（明和八年＝一七七一年）、上杉治憲はまだ数えで二十一歳である。平洲は四十四歳だった。つまり、治憲の倍の年になる。しかし平洲は、

（自分の半分以下の若い殿様が、ここまでの気遣いをなさるのか）

と感動した。いきおい平洲も、

（そういう治憲公のお志に背いてはならない。極力そのお志が遂げられるように補助の任を全うしよう）

と心に誓った。上杉治憲は神保綱忠を江戸に派遣して、細井平洲に、

「整備拡充する新しい藩校の建学の精神と、学ぶ者の心得」

などをあらかじめ聞かせた。しかしだからといってこの新しい藩校の運営をすべて平洲に委《ゆだ》ねたわけではない。治憲は治憲なりに、

「藩校の再興」

に努力していた。実際にこの再興がおこなわれるのは、安永四（一七七五）年からのことだが、今度治憲が細井平洲を米沢に招いたのは、その下準備をするためである。いわば、

「再興する藩校の根本」

を定めるためのものだ。藩校の礎石の積み上げだ。同時に、

「再興する藩校の責任者としての細井平洲先生は、こういう学者である」

と、その学説の披露の実験でもあった。細井平洲は上杉治憲の教育に対する態度が、隅々までいき届いたものであることを知った。舌を巻いた。

（じつに周到な準備をしておいでだ）

と胸を打たれた。それだけに、

（そういう治憲公の期待に背いてはならない）

と覚悟をいよいよ新たにした。

治憲が先君綱憲が建てた学問所の再興の場として選んだのが、藩儒《はんじゅ》（藩の儒学者）片山一積の塾である。このへんにも治憲らしい配慮がある。それは江戸時代の学校の行事の中でもっとも大切なのが、孔子をまつった聖堂の祭祀《さいし》である「釈《せき》奠《てん》」である。しかし、米沢藩はこの大切な行事を享保《きょうほう》九（一七二四）年に廃止し、そのまま藩の行事としてはおこなわなかった。ところが藩儒片山家では、藩の公式行事から廃止されたこの「釈奠」を、自家でずっとつづけていた。上杉治憲はこのことを知った。

「片山家は殊勝である」

と感じ、この行事を再び藩の行事に戻した。そしてその祭主《さいしゅ》を片山一積に命じた。治憲はこういう地道にコツコツと人目に立たない善行をおこなう者が好きだった。治憲はその藩政改革において、藩内の善行者《ぜんこうもの》をしきりに表彰するが、片山一積に釈奠の祭主を命じたのもそのひとつの例だ。さらにその褒賞の態度を示すものとして、片山塾を復興する藩校の所在地に定めたのである。片山一積は感動した。かれは学者ではあったが、

「この主君のためには、生命《いのち》を捨てよう」

とまで決意した。佐藤文四郎からそのいきさつをきいて平洲は感動した。文四郎の話によれば、

「藩校再興の総責任者は莅戸善政殿《のぞきよしまさ》です」

　ときいた。平洲はうれしかった。莅戸善政は剛直の武士ではあったが、学問も深く江戸藩邸にいたときから非常に注目していた人物だ。善政は常にこういっていた。

「学問は、いま生きている人間の実際の用に立たなければ意味がありません」

　平洲の説もまったく同じだ。さらに善政は、

「たとえば、日本人の美しい心を発見する態度についても、いまの学者はけしからんと思います。それは、常に孔子・孟子《もうし》の生まれた古代中国に例を求めているからです。善行者はなにも古代中国には限りません。わが国にもたくさんおります。それをさしおいて、古代中国の善行者ばかり例にするのは、畢竟《ひっきょう》、わが国を隣国に比べみずから見下すようなものだと思います。しかも、隣国の学問の注釈にばかり夢中になって、生きた学問を教えてくれません。生きた学問を教えてくださるのは細井先生だけです」

　といっていた。平洲はこれにも同感する。とくに彼のいった、

「善行者はわが国にもたくさんいる。なにも隣国の例をありがたがる必要はない」

　という主張にはまったく共鳴した。平洲はこの莅戸善政の考えに共感をおぼえ

るがゆえに、板谷宿における佐藤という宿の若主人の、あの古木の話にも胸を打たれたのだ。平洲はすでに、

「米沢に入ったなら、武士だけでなく農庶民にも自分の学問を伝え、とくに善行者を発見したい」

と心を決めていた。というのは、

「善行者こそ生きた学問の教材なのだ」

と思っていたからだ。平洲の学問に対する目的は、

「人間が誰でも持っている心の鏡をきれいに磨き上げることにある」

と思っている。したがって、それは難しい字句の解釈によって得られるものではない。あくまでもひとりひとりの人間が、

「自分はどう生きていくか」

ということを発見し、それを確定することにある。平洲が、

「心の鏡を常にピカピカに輝かせておかなければならない」

というのは、かれが信奉《しんぽう》する孔子の教えである。

「恕《じょ》の心」

を持つことだ。恕というのはふつうは「ゆるす」と読む。が、平洲は、

「恕というのは、他人の立場に立ってものを考えようとする、人間のやさしさや

思いやりのことだ」

と思っている。極端にいえば平洲の学問に対する根本的な姿勢は、

「この恕の心を持つか持たないかにある」

ということだ。持つか持たないかではなく、

「必ず持たなければならない」

ということだ。したがって、平洲の学問の目的は、

「いま現実に世の中に生き、苦悩している人びとの悩みや苦しみを解決するために、人間同士が恕の心を持って相手の立場に立って解決策を発見し合おう」

という気持ちを持つことなのだ。そうすれば、人間のわがままな心や欲心が省かれ、心の鏡がピカピカに磨かれ、

「自分のことだけではなく、常に相手のことも考えて生きていこう」

という世の中が実現する。米沢藩上杉家だけでなく、細井平洲はいままでかかわりを持ってきた大名家でも、同じことを主張しつづけた。いってみれば、

「細井平洲という学者は、いつ、どこでも同じ歌を歌いつづける」

という態度を持ちつづけたのである。一応、佐藤文四郎の話を聞き終わった平洲は、

「お館様のお考えはよくわかりました。基本的にはわたしも再興される藩校で、

そのご趣旨に沿ったお話をさせていただくつもりです」

とうなずいた。佐藤文四郎はニコリと笑った。そして、

「まさに釈迦《しやか》に説法です。細井先生にこんなことを申し上げるのは、わたくしとして非常におもはゆいものがあります。が、一応お館様のお言葉なのでお伝えしたまでです」

といった。そして彼は、

「細井先生のお教えは、江戸藩邸で伺ったときも非常に理解しやすいものでございました。お館様の再興する藩校の役割についてはいま申し上げたとおりですが、先生は具体的にどのようになさるおつもりですか」

と一歩踏みこんだ問いかけをしてきた。平洲は微笑《ほほえ》んだ。そしてこう応じた。

「お館様が再興なさる藩校を、わたしはふいごだと思っております」

「ふいご？」

突飛な例なので佐藤文四郎は眼をむいた。

「そうです、ふいごです」

「どういうことでしょうか」

文四郎は聞く。平洲は答えた。

「たとえてみれば、治憲公は水と米です。そしてこれを補佐するご重役方は鍋《なべ》や

釜《かま》といっていいでしょう。その他の武士や農工商三民は、薪《たきぎ》や火といってよいと思います。おいしいご飯を炊くためにはなによりも鍋や釜が大事な道具になります。そこで、米をおいしいご飯に炊けるような鍋や釜に鋳立《いた》てるのがすなわちふいごです。治憲公がご再興になろうとする学校は、まさにこのふいごの役割を果たすことです」

「いやーあ、参りました」

佐藤文四郎は頓狂《とんきょう》な声を立てた。こんなたとえ話をする学者にはじめて会った。江戸の藩邸にいたころから平洲の教えをきいていた文四郎は、平洲の唱える説を、

「具体的で非常にわかりやすい人間学」

ととらえていたが、入国前からすでに再興される藩校の役割について、

「おいしいご飯を炊くための鍋や釜を鋳造《ちゆうぞう》するふいごだ」

などという発想は、到底持ち得なかった。

（さすが細井平洲先生だ）

と舌を巻いた。文四郎はさらに踏みこんだ。

「では、細井先生はすでに再興される学校の名をもお考えでございましょうな。お館様は、それも期待されております」

「お話があればお答えするつもりです。あなたのいうようにすでに藩校の名も考えております」

「どういう名ですか」

「興譲館《こうじようかん》です」

平洲は静かに答えた。

細井平洲が座右の書にしている古代中国の政治指導書『大学《だいがく》』で説かれているモチーフは、

「平天下《へいてんか》・治国《ちこく》・斉家《せいか》・修身《しゆうしん》」

である。平天下というのは、天下を平らか（平和・安定）にするということだ。治国というのは国を正しく治《おさ》めるということだ。斉家というのは自分の家庭をきちんと整えるということである。修身はいうまでもなく個人個人が自分の身をよく修《おさ》めるということだ。この順序でいえば結論は、

「天下を平らかにするためには、何よりも個人が自分の身を正しく修めなければならない」

ということになる。そして自分の身を修めた個人が家をよく整え（つまり家族がまとまり）、そのうえで今度は国が正しく治まるということである。現在でいえば、個人個人の修養が家庭を安定させ、各家庭の安定が地域社会を安定させ、

そして地域社会の安定が市や県を正しく治めさせ、それが集まって国家が正しく安定するということだろう。一国家の正しい安定が全世界を正しく安定させる。しかしそのスタートはすべて個人にあるという考えだ。この発展過程を『大学』では「平天下・治国・斉家・修身」と告げたのである。そしてこの個人から全世界に至る発展過程で、個人あるいは組織が心がけねばならないことを、

「譲《じよう》と仁《じん》」

のふたつの道徳においている。細井平洲はこの譲を「恕」という言葉におきかえていた。孔子より二百年ばかり後に生まれた孟子は、この「恕」という言葉を開いて、

「忍びざるの心」

といった。忍びざるの心というのは、

「他人の悲しみや苦しみはみるに忍びない。なんとかしてあげたい」

ということである。川のほとりを歩いているときに、眼の見えない人や車椅子《くるまいす》の人が落ちかかっていたら、それを見た人はすぐ、

「ああ、危ない。助けなければ」

と駆け出していく。そうさせるのは衝動だ。この衝動を孟子は〝忍びざるの心〟といった。この〝恕〟も〝忍びざるの心〟も結局は、

「目の前の他人の悲しみや苦しみを、自分のこととして受けとめる」

という気持ちがあるからだ。他人の悲しみや苦しみを自分のこととするのには、やはり平洲の考える〝心の鏡〟を、いつもピカピカに磨いておかなければならない。自分の欲心や邪《よこしま》な心で鏡を曇らせていれば、事実はありのままに映らない。歪《ゆが》んで映る。そうなると他人の悲しみや苦しみもきちんと映らずに理解できなくなる。そのまま見過ごしてしまう。細井平洲は佐藤文四郎が、

「細井先生、再興する学校の校名をなんとなさいますか」

ときいたのに対し、

「興譲館と名づけましょう」

と答えた。それは『大学』で主張する「譲」の心を興すということだ。あえて興すという字を使ったのは、佐藤文四郎が藩主上杉治憲の伝言として、

「新しく建てる学校は新設ではありません。前にあった藩の学校を再興するのです」

といったから、平洲もその趣旨をよく汲み取って、

「譲という道徳を再興する学校」

という意味合いを持たせたのである。平洲は佐藤文四郎にいった。

「治憲公がいま再興なさろうとする学校は、いわば〝心の学校〟なのですよ」

「心の学校？」

佐藤文四郎は反射的にその言葉を口にした。平洲はうなずいた。

「そうです。それも日本人の美しい心の学校です」

「日本人の美しい心の学校」

繰り返す文四郎に平洲はうなずいて、こういった。

「その日本人の美しい心を、まず米沢の興譲館から興しましょう。興したその美しい心が、日本中に拡《ひろ》がることを期待しましょう」

佐藤文四郎は呆気《あつけ》にとられたように平洲の顔をまじまじと見つめた。やがて座をとび下がって床に手をついた。平伏《ひれふ》した。

「入国早々、細井先生のありがたいお教えをたまわって、佐藤文四郎、心から感動いたしました。また先生がご入国と同時に、最初のお教えをいただいた栄誉に浴し、この文四郎はなはだ感激いたしました。このとおりでございます。いまのお言葉をおききになれば、お館様もさぞかしご満足でございましょう」

そういった。平洲は宙で手を振った。

「佐藤さん、そんなことをしないでください。テレますよ」

「いえ、これはわたくしの本心です」

顔を上げた文四郎はまぶたを熱くしていた。改めてつぶやいた。

「再興する学校の名は興譲館、そして興譲館は日本の美しい心の学校ですね」

「そうですよ」

平洲も大きくうなずいた。

平洲先生が米沢の城下町に入ったのは、明和八年五月二日のことである。平洲は佐藤文四郎を通じて、藩主上杉治憲に、

「きょうから講義をおこなわさせていただきたい」

と申し入れた。治憲は承知した。治憲もすでに藩士の中から十八人の優秀な若者を選んで、平洲の講義をきくことを命じていた。十八人は当面城内の馬場御殿松桜館で起居するよう命ぜられていた。つまり、平洲とともに暮らすことを命ぜられたのである。平洲には別に、城下町の豪商の家が宿舎として用意されていた。

平洲はいったんその豪商の家に入ったが、すぐ、

「せっかくのご厚意ですが、松桜館に移らせていただきます」

といった。治憲が十八人の若者に、

「松桜館で起居し、平洲先生の一挙手一投足からも学べ。書物からだけ学ぶのが学問ではない」

と命じてあったのでそういう対応に出たのである。つまり、

「学生たちがわたしの起居を学ぼうというのに、師であるわたしが別のところに

いたのでは学生たちの参考にならない」

　と考えた。神保綱忠がこのことをきいて喜んだ。綱忠は松桜館の館長を命ぜられていた。平洲が「興譲館」と名づけた藩校は、いくら再興するとはいってもまったく新しく建てるのだから、しばらく時間がかかる。だからといって平洲は、

「藩校が建ってから講義をはじめます」

などというような悠長なことはいわない。米沢に着いたその日から、

「講義をはじめましょう」

　と宣言した。治憲から平洲の面倒をみるように命ぜられていた神保綱忠は喜んだ。学生たちも喜んだ。神保にきくと、学生たちはすべて新藩主上杉治憲を歓迎し、その改革理念に感動しているという。江戸で治憲がつくった「改革案」は、米沢城の重役陣によってお蔵にされ、藩士には配られなかった。しかし治憲の側近佐藤文四郎たち腹心のはからいによって、その写しがつくられ、ひそかに心ある藩士たちに配られた。選ばれた十八人の学生は、すべてこの改革書を読んでいた。夜ひそかに集まっては肩を叩《たた》き合い、

「これこそ、われわれがいままで求めてきた改革の書だ」

と感動の視線を交わし合った。したがってその改革の書の原案づくりに大いに助言したといわれる細井平洲先生を迎えることは、かれら十八人の学生にとって、

心の中で大きな拍手をするできごとだったのである。

臨時に設《しつら》えられた教場に平洲は入った。そしてきちんと並んだ学生たちを見渡した。学生たちもいっせいに待望の色を眼に浮かべながら平洲に注目した。平洲はいった。

「細井平洲です。これから講義をはじめます。教材は『大学』です。しかし、教材をそのまま素読《そどく》したり、型どおりの解釈はいたしません。この細井平洲が『大学』をどう受けとめ、そしてあなた方にどう活用して欲しいかを話します。それは、米沢藩士であるみなさんが、米沢藩民の鏡にならなければいけないからです。お館様にも申し上げましたが、わたしは藩主と城の武士は常に藩民の父母でなければならない、親でなければならないと申しております。この話をいたします」

教場の学生たちは水を打ったように鎮まった。平洲の語り方が意外であり、同時にその一言一言が胸の中に、まるで乾いた砂が水を吸いこむように受けとめられたからである。学生たちは一様に感じた。

(細井先生はさすがだ。お話しになることにすべてムダがない。一語一語が生きた言葉だ)

全員が期待した。次に平洲がどんなことをいい出すか楽しみだったからである。

学生たちはいっせいに子どものころ習った『論語』の冒頭の言葉、

「学んで時にこれを習う、また説《よろこば》しからずや」

を思い出した。まさしくよろこばしい学問の開始であった。平洲は見台《けんだい》に『大学』の本をおきながらも、いっさい見ずに暗記した言葉を口にした。

「詩に云《いわ》く、楽しき君子《くんし》は民の父母と。民の好む所はこれを好み、民の悪《にく》む所はこれを悪む。これをこれ民の父母と謂《い》う」

誦《しょう》し終わった平洲は門人たちの顔を見てこう告げた。

「この言葉の中で、わたしがもっとも好きなのは楽しき君子というものです。君子が楽しいというのはちょっとおかしいですよね。しかし君子が楽しいゆえんは、この言葉が述べるとおり、民の父母の心をもって、民の好むところを好み、嫌うところを嫌うというところにあります。これは親と子の関係でしょう。親は子どもの気持ちになってしつけを考え、子どもが好きなことを自分も好み、子どもが嫌うことはやはり一緒に嫌います。

しかし親が子と違うところは、子の好むところがほんとうに好むべきことなのか、嫌うことはほんとうに嫌うことなのかの判別をすることです。つまり、子どもが好きと嫌いの区分をする物差しを与えることです。それが親と子の違いです。それには親のほうが、その物差しをつくれるだけの力を養わなければなりません。その力を養うのが学問でしょう。違いますか」

門人たちは互いに顔を見あわせた。こんな先生に会ったことはない。やさしいことをいっているが、実際にはその内容は難しい。かなり人間の生きるべき真実をいい当てている。こんな発想をしたことはない。いままで学んだ学問は、単に教材に書かれた文章を読み、それを先生が解釈するというやり方だった。だから門人によっては、

「学問なんて退屈だ。いったいわれわれの日常に何の役に立つのだ」

と文句をいう者もいた。ところが細井平洲は違った。

「藩主と藩士は藩民の親の気持ちを持て」

ということは誰でもいう。つまり愛情を持って民に接しようということだ。これに異議はない。だから門人たちも細井平洲が最初にいった言葉をそのように受けとめた。ところが平洲が加えた解釈によって、いままでの常識的なものとは違うことを示された。平洲はいう。

「親は子どもが好むところを好み、嫌うところを嫌うが、しかしそれは子どものいいなりになることではない。子どもが好きだ嫌いだといっても、その基準がいったいどこにあるのかを追求していけば、場合によって間違っていることがある。そういうときは、その間違いを指摘し、正さなければならない。それがほんとうのしつけであり、親の子に対する態度なのだ」

これを藩と藩民の関係におきかえれば、次のようになる。
・藩主と藩士は、常に藩民に対し親のような愛情を持って臨む。
・まず、藩民の好きなことを掌握し、同時に嫌いなことを掌握する。
・ふつうなら、藩政は藩民の好きなことをおこない、嫌いなことをおこなわないということになる。
・しかし、いま平洲がいった言葉をきちんと解釈すれば、藩民が好きだということも果たして好むべきことなのかどうか疑問を持てという。また、藩民が嫌いだということも、ほんとうに嫌うべきことなのかどうかを検討しろという。
・平洲がいうのは、藩民が好きだ嫌いだといってもそれは感情から発したものである場合がある。理屈に合わない場合がある。あるいは道に背くことがある。そういうときは藩のほうがきちんと基準を示して、藩民に対し子どもを諭すようにおまえの考えは間違っている、それはほんとうは好いてはいけないことなのだ、むしろ嫌いだといっていることのほうに正しいことがある、だから好きだということをやめて、嫌いだということをやりなさい、ということもあると告げている。
学生たちは思わず顔をみあわせた。眼と眼で、

「平洲先生の教えは新鮮だ。面白い。それに正しい」

と語り合った。学生たちの気配を察して、平洲は手応《てごた》えを感じた。

（これなら大丈夫だ）

と心の中で微笑んだ。そこで、

「次にいきます」

と告げた。学生たちはいっせいに平洲に注目した。平洲は告げた。

「一家仁なれば一国仁に興り、一家譲なれば一国譲に興り、一人貪戻《たんれい》なれば一国乱を作《な》す」

誦し終わった平洲はまた学生たちを見渡した。いま自分が口にした言葉を理解しているかどうかを確認するためである。ちょっと戸惑いが感じられた。そこで平洲は説明した。

「ここで一家というのは君主一家のことです。ですから、米沢藩にたとえればまず藩主一家ということでしょう。しかし、この言葉が求めているのは藩主一家の生き方だけではありません。わたしの考えでは、この一家の中には米沢城で仕事をしているみなさんすべてが入ります。いってみれば上杉一家なのです。したがって、この言葉を活用すべきはみなさんも含まれます。単にお館様一家のことだけではありません。まずそのことを肝《きも》に銘じてください」

学生たちはいっせいにうなずいた。その反応をみきわめて平洲も満足そうに微笑んだ。そしてこういった。

「いま暗誦した字句については、みなさんはすでに学んだはずです。ですからいちいち解釈はしません。ただ、新しいお館様が改革をおすすめになるうえにおいて、わたしがみなさんに心がけて欲しいことだけをお話しします。そしてつけ加えれば、ここに引用した『一家譲なれば一国譲に興り』という言葉をとって、いま復興中の藩校を『興譲館』と名づけます。興譲館という藩校から、学ぶ者がまず譲を興し、その譲によって城が譲を興し、城が興す譲によって、米沢藩のすべてが譲を再興するということです。したがって興譲館という新しい藩校の名は、米沢藩の改革の目標を示します。いってみれば、米沢藩の改革はすべて興譲館から興る、といってよいでしょう。みなさんはそのさきがけなのです」

学生たちはまた顔を見あわせた。その眼が輝いている。細井平洲から、

「この松桜館で学ぶ者が、まず興譲館で学ぶ者のさきがけであり、同時に米沢藩改革のさきがけなのだ」

と告げられたからである。学生たちは、

（おれたちは単に学問を学ぶためにこの松桜館にきたのではなく、改革のさきがけとして選ばれたのだ）

という責務感と誇りを持った。このへんは細井平洲の教育のうまいところだ。ある意味で、学ぶ者たちの心を励ます。悪い言葉を使えば煽《おだ》てる。しかし人間はやはり煽てなければダメだ。何をやっているんだ、何を考えているんだ、などと叱《しか》ってばかりいては、学ぶ者の心は萎縮《いしゅく》してしまう。平洲は苦労人だからそんなことは百も承知だ。はじめてきた土地で、まず何をすればいいかをきちんとわきまえていた。それに板谷宿で犯したあの古木の枝を折った失敗が頭の中に残っている。

(同じ失敗を犯すのはバカだ)

と平洲自身は深く反省していた。あの失敗談をまず上杉治憲に話そうと思っているのだが、治憲も多忙ですぐ平洲に会えない。平洲はそこで、

(あの失敗談を、まずこの学生たちに話してみよう)

と思った。それは学生たちが話をきいて、どんな反応をするのか関心があったからである。

「わたしは一昨日の夜、板谷宿に泊まりました。佐藤さんという人の宿です。主人はまだ若い人でした。しかしなかなか律儀《りちぎ》な人で親孝行です。こんなことを経験しました」

平洲は板谷宿での経験談を語った。

・忠臣蔵で有名な悪家老《あくがろう》大野九郎兵衛の墓が、板谷宿脇《わき》の林の中にあったこと。そこで、宿の佐藤さんという主人から、大野九郎兵衛は実は悪人ではなく忠臣だったという意外な話をきいたこと。
「この話は、故郷に戻っても吹聴するつもりです」

平洲はそういった。学生たちはドッと笑った。平洲はつづける。
・その佐藤家の庭に、一本の古木があったこと。自分は病人で病身なので、これからの山道がつらいため、その古木の枝を一本折って杖《つえ》をつくったこと。
・そうしたら、宿の主人の佐藤さんが真っ赤になって怒り、怒った理由を懇々と語ったこと。
「あの佐藤さんの親孝行な心には胸を打たれました。人に学問を教える身で、自分がそういうことをしたのではなんとも面目ない次第です。そんなわたしが、みなさんに講義をしているのですから、みなさんもどうかそのつもりで話半分にきいてください。この細井を軽蔑《けいべつ》してくださっても結構です」

そういった。みんなは笑った。しかしその笑いの中に嘲《あざけ》りの響きはなかった。米沢の入口で失敗した細井平洲の経験談を、みんな謙虚にきいた。十八人の学生は素直だった。そしてそういう失敗をはっきり話し反省している平洲を、みんな好ましく思った。

（この先生はウソをつかない。おっしゃることはすべて信じられる）

という強い信頼心を持ったのである。脇できいていた神保綱忠が苦笑した。ささやいた。

「細井先生、みごとに学生たちの心をおつかみになりましたな」

「そうでしょうか」

「そうですとも。いまの板谷宿の話はみんなの心に響きましたよ」

「それだといいのですが」

「申し訳ありません。おつづけください」

神保綱忠は引っこんだ。そのとき、廊下のほうでざわめきが起こった。学生たちがいっせいに振り向いた。何人かの年配の武士が廊下を渡ってきた。入口に立つとジロリと教場を見渡した。それは、

「誰と誰が、新しくきた細井平洲に学んでいるのか」

と、まるで自分たちが持っている心のブラックリストに書きつけるような態度だった。眼が鋭い。神保綱忠が姿勢を正した。そして立って入口にいった。丁寧に武士たちにお辞儀した。

「これはナニナニ様」

と相手の名前を口にするのがきこえた。もちろん細井平洲には入口にきた武士

たちがどんな身分の侍なのか見当がつかない。神保綱忠が入口から細井平洲に大声で告げた。

「城のご重職方です」

「それは」

平洲は見台の前を離れ脇にいった。そしてお辞儀をした。重役たちは顔を見あわせ、そんな平洲に意外な表情をした。つまり平洲がへりくだったからである。

重役たちは、

（今度新しくきた細井という学者は、新しいお館様とご昵懇《じっこん》な関係にあり、さぞかし威張りくさって講義をおこなっているだろう）

ときめこんでやってきたからである。意表を突かれた。重役たちはささやき合った。

「どうする？」

「そうだな」

「一応、クギだけさしておけ」

そんな言葉が交わされた。代表が平洲のところにやってきた。

「細井先生」

立ったままいった。見上げると見覚えがあった。江戸家老の須田満主《すだみつたけ》だ。

重役たちの講義監視

突然、教場にやってきた江戸家老《えどがろう》の須田満主《みつたけ》をみて、細井平洲は驚いた。

「これは須田様」

「憶《おぼ》えておいでか。そのとおり、須田です。このたびはご苦労様です」

「恐れ入ります。きょうから講義をはじめさせていただきました」

「承知しております。ただ一言だけお心得願いたい」

「はい、どのようなことでございましょう」

「どうか、若者を唆《そそのか》さないでいただきたい。それでなくても新しいお館《やかた》様（治憲）は、若気の至りでいろいろと新しいことをおはじめになるようだ。若者はすぐそれに乗る。米沢城には米沢城のしきたりがあるので、どうかそのしきたりを壊さぬようにお願いしたい。政務についてはわれわれ重役陣が、しっかりとお預かりしているのでご安心願いたい。いや、ご講義の邪魔をして申し訳ない」

さすがに旧知の仲だったので須田満主は穏やかにそう告げた。しかし態度は柔らかかったが芯《しん》は固い。言葉に針がある。針は毒を含んでいた。しかし細井平洲も苦労人だから人間通だ。須田満主の魂胆はみえすいている。言葉は穏やかだが、あきらかに、

（米沢城の若い者に、妙なことを吹きこまないで欲しい）

と警告にやってきたのだ。だからこそ須田はひとりではなく重役陣を同行している。みえすいたやり方だ。このやり取りは、いってみればタヌキとキツネの化かし合いだ。細井平洲も相当なしたたか者だから、負けてはいない。こんな目にはいままでも散々出あってきている。教場の門人たちは心配げにふたりのやり取りを注視していた。その気配を感ずるから平洲も引くわけにはいかない。そんなことをすれば、

（細井先生は軟弱だ。重役の権力にすぐ屈する）

と思われてしまう。しかしだからといって権柄《けんぺい》ずくで逆らったのでは、やはり角が立つ。そのへんは平洲の人間巧者たるゆえんで、駆け引きは鮮やかだった。いいたいことをいったらすぐ帰ればいいのに、しかし須田たちは引き上げなかった。平洲に、

「どうぞご講義をおつづけください」

とはいったがそのまま立ちつくしている。つまり、

（この後細井先生はどんな講義をおこなうのだろうか）

と大きな関心を持っているのだ。下手《へた》な講義をすればすぐクレームをつける。そんな態度がありありとみえた。平洲は心の中で苦笑した。

（どこへいっても同じだ）

と感ずる。いままで講義をおこなってきた大名家は米沢藩上杉家だけではない。ほかにもたくさんある。しかしどこにいってもこういう姑息《こそく》な重役がいる。そして、

（若い者を唆して、自分たちのやっている政務にいちゃもんをつけるのではないのか）

と恐れている。そんなことは十分経験してきているから、平洲はまして初回の講義でもあったので気をつけた。

「ありがとうございます。では、講義をつづけさせていただきます」

平洲は須田たちに頭を下げると教壇に戻った。学生たちは居心地が悪い。教場の一角に重役たちが揃《そろ》って立ち尽くして、こっちを睨《にら》んでいるので気もそぞろになる。気の弱い者の中には、

（初回から平洲先生のご講義をきいている自分を、重役たちはブラックリストにつけるのではないか）

などと余計な心配をする者もいた。そういう武士たちの意識は後ろの重役たちばかりに向いて、肝心な平洲の講義に耳を傾けない。耳は傾けているのだが平洲の言葉はそのまま通り過ぎてしまう。平洲は心の中でチッと舌打ちをした。

（重役たちは、嫌なことをする）

と感じた。しかし平洲は両国橋のたもとで江戸の町人相手に講義をおこなったこともあるので、そのことを考えれば今日の講義などはまだまだましなほうだ。平洲は自分で自分の心を鎮め、講義をつづけた。

「古《いにしえ》の明徳を天下に明らかにせんと欲する者は、先《ま》ずその国を治《おさ》む。その国を治めんと欲する者は先ずその家を斉《ととの》う。その家を斉えんと欲する者は、先ずその身を修《おさ》む。その身を修めんと欲する者は、先ずその心を正しくす。その心を正しくせんと欲する者は、先ずその意を誠にす。その意を誠にせんと欲する者は、先ずその知を致す。知を致すは物に格《いた》るに在り」

ここでいったん言葉を切った。廊下にいる重役たちの反応をみるためである。平洲は静かな視線で重役陣をみた。平洲が言葉を切ったので、重役たちはゴソゴソと私語を交わした。しかしいま平洲がいった口誦文《こうしょうぶん》は、別に目新しいものではない。漢学を学んだ者なら誰でも知っている。それがわかっているから平洲もこんなことを語ったのだ。重役たちは互いにうなずき合った。みていてそれは、

「この程度なら問題なかろう」

という合意ができたことを示していた。廊下から須田が大声で、

「細井先生、これにて失礼申し上げる。どうぞおつづけください。くれぐれも先ほどのわたくしの言葉をお忘れなきよう」

と念を押した。平洲はわかりました、ともわかりませんともいわずにただうなずいた。いま平洲が口誦したのは、

「平天下《へいてんか》・治国《ちこく》・斉家《せいか》・修身《しゅうしん》」という言葉を丁寧に書かれた文章を告げたものだ。つまり、

・天下を平らか（安定）にするためにはまず国をしっかりと治めることが必要である。

・しかし国を治めるにはそれぞれの家を正しく整えることが必要だ。

・家を正しく整えるためには、それぞれ個人が自分の身を修めることが大切である。

という、段階的なものの考え方だ。一言でいえば、

「天下を安定させるためには、まず個人が自分の身を正しくしなければならない。それには、学問を学ばなければならない」

という考え方だ。この考え方はもう日本中どこにも浸透しているから、米沢藩

の重役たちにとっても異議はない。かれらは、

（新しいお館様が夢中になっておられる細井平洲という学者も、こんな程度だったのか）

と考え、

（これなら心配ない）

と判断したのである。はじめて平洲から学ぶ十八人の学生たちも、こんなことはすでに知っている。したがって中には、

（こんなわかりきったことをなぜ細井先生は改めてお教えになるのだろうか）

と疑問を持つ者もいた。平洲がこれから語ろうとしているのはそんなことではない。平洲にすれば、

（これから話すことがわたしのほんとうの教えなのだ）

と思っていた。つまり学者としての細井平洲が米沢藩の藩士たちに正確に伝えたい、〝正念場《しようねんば》〟なのである。重役たちは引き上げていった。教場にほっとした安堵感《あんどかん》が漂った。

「芯が疲れるね」

平洲がそういうと門人たちはドッと笑った。

財政の根本原則

「さて」

平洲は改めて学生たちに向き直った。そして語りはじめた。

「国の財用（費用）は土地と民力とのふたつを根本にして生じます。このふたつ以外に財用の出るところはありません」

そういい切った。みんなびっくりして顔を見あわせた。平洲の講義がさっきの一般論をとび越えて突然特別な財政論に踏みこんだからである。しかし、十八人の門人たちは多大な関心を持った。興味ある瞳《ひとみ》で平洲を凝視した。平洲は手応《てごた》えを感じ、つづけた。

「財用を用いる方法を、俗に入《いる》を量り出《いずる》を制すといいます。入とは、年内出来る物成《ものなり》をいいます。出とは、それを使うことをいいます。したがって、入る高にくらべて使う高を定める以外に、財用の繰廻《くりまわ》しかたはありません」

当たり前のことなのだが、どこの藩でもこの、

「入を量って出を制す」

ということが守られていない。現在でいえば「予算」のことだ。つまり、収入の高すなわち財政フレームに合わせて、支出を考える。それが予算だ。いってみれば収支をとんとんに整合するのが正しい財政のあり方なのである。ところがどこの藩も、

「入も量らずに出も制さない」

という財政運営がおこなわれていた。こんな乱暴な金の使い方をしていれば当然赤字になる。だからどこの藩でも真っ赤っかの火の車であって、その赤字を補《ほ》塡《てん》するために商人たちから多大な借金を抱えこんでいる。なかには、幕府の許可を得て「藩札《はんさつ》」を発行するところもある。藩札というのは、

「藩の内部だけで通用する通貨」

のことだ。しかし幕府の許可を得るためには、

「現在、藩が所有する正貨（幕府が発行した通貨）」

の額を申告しなければならない。それは藩札をもらった側が、

「どうもこの藩札は信用できない。正貨に換えて欲しい」

といい出したときには、当然藩が持っている正貨と交換しなければならない。逆にいえば、藩札の発行額は藩が持っている正貨の額を超えることができないと

いうことだ。が、そんなわかりきった決まりを守っている藩はどこにもない。大名各家が発行する藩札の額は、所有している正貨をはるかに超えていた。五倍、十倍も発行しているところがある。いきおい藩民の藩札に対する信用は失われ、

「こんな藩札は紙クズ同然だ」

とその価値のなさを嘆く。しまいに藩庁に押しかけて、

「この藩札は信用できない。正貨と換えて欲しい」

と要求する。しかし藩札の発行額は所有している正貨の額をはるかに超えているから、簡単に交換はできない。なんだかだといって交換を引き延ばす。これがまたさらに信用を失わせる。残念ながら、米沢藩上杉家もこういう状態にあった。同時に、金主《きんしゅ》(金の貸し手)が愛想をつかし、現在では、

「上杉家には絶対に金を用立てない」

ということが金主たちの申し合わせとなって、はっきりいえば上杉家は金融機関からみはなされていた。いまでいえば、メインバンクはおろか、ほかの金融機関もいっさい、

「上杉家は厄病神だ」

といい合って、そばに近寄らなかったのである。

そういえば、江戸にいたころ細井平洲もこんな経験をした。江戸ではよく庶民

が鉄の鍋《なべ》や鉄瓶などのいわゆる〝金物〟を買う。しかし最初のうちは金物には金《かな》気《け》があって、湯を沸かしてもものを煮ても臭《にお》いがついてまずい。そこで江戸っ子たちはいう。

「米沢の上杉って小さな紙に書きゃいいのさ。そう書いた紙を新しい金物に貼《は》りつけた途端、金物から金気がスーッと消えてなくなるよ」

しまいには冗談とわかって笑い話になるが、しかし上杉家にすれば深刻な話だ。

細井平洲もそんな冗談話をきいていて、

（米沢藩上杉家は、そんなに金に困っているのか）

と思ったことがある。それがいま米沢にきてたしかに現実のものだということがわかった。それは福島から山を越えて米沢に達するまでの街道筋で、しばしば耳にしたことである。なかには、

「上杉様は大名をお辞めになるのではないか」

という者さえいた。これは事実だった。それは治憲を養子に迎えたときの当主上杉重定が、あまりの累積赤字の巨額さに業を煮やし、

「いっそのこと、大名の座を返上しようか」

といい出したことである。明治二（一八六九）年に版籍奉還《はんせきほうかん》がおこなわれるが、そのずっと前に版籍を幕府に返してしまおうと企てたのである。さすがにそれは

暴挙として家臣たちも止め、また幕府側でも、
「あまり短気を起こさぬように」
と心配する老中《ろうじゆう》（閣僚）がいて、ようやく思いとどまったが、しかし重定は
この考えを折りに触れ、チラチラさせた。それほど上杉家は困窮していた。した
がって米沢城に入った上杉治憲がまずやらなければならないのは、
「疲れ果てた上杉家の財政を再建すること」
だったのである。ある意味で、細井平洲が招かれたのもこの財政再建の一助の
ためだ。いまでいうバランスシートの整合は藩の実務者がおこなうが、治憲の目
的は、
「財政再建の実務に当たる者が、いままでとは違った意識を持つように教育して
いただきたい」
ということだ。つまり、
「財政再建に藩士の心が一致して立ち向かうような、意識改革をおこなって欲し
い」
ということが細井平洲を米沢城に招いたいちばん大きな理由だったのである。
平洲はこのことを知っていた。上杉家の財政逼迫《ひっぱく》は江戸の上杉藩邸で治憲に講義
をおこなっているときにも、脇《わき》の者からしきりに耳にした。否応《いやおう》なくそういうや

り取りが入ってくるのである。だから細井平洲は治憲に講義をしたときも、その頼みに従って、「上杉家の財政再建案」というものを文書にしてさし出した。治憲《じ》はそれに自分の考えを加えてテキストをつくり、江戸家老《えどがろう》を通じて米沢城に示達《たつ》した。

「自分が米沢に入る前に、このテキストを全藩士に周知徹底しておいてもらいたい」

と頼んだのである。が、それは果たされなかった。姑息《こそく》な米沢城の重役陣は、そのテキストをお蔵にした。かれらにすれば、

「われわれに一言の相談もなく、こんなテキストをつくるとはもってのほかだ。お館《やかた》が入国次第、徹底的にひねり上げてやろう」

と手ぐすね引いて待ち構えていたのである。そういう事情を細井平洲もよく知っている。したがって、さっき教場を覗《のぞ》きにきた須田満主《みつたけ》ほかの重役陣に、自分の考えを告げればたちまちケンカになる。挙句の果ては、

「先生は、当家には向きません」

ということで、強訴《ごうそ》が起こり、治憲に迫ってクビにするかもしれない。そんなことになったら元も子もなくなる。というよりも、せっかく自分を藩の学者として迎えてくれた治憲ほか、治憲の腹心たちにも申し訳ない。

（ここはいちばん我慢しつづけるより方法がない）

平洲はそう思った。だから、さっきの須田満主たちの無礼な殴りこみにも穏やかに対応したのである。しかし、治憲が事前に選んでいた十八人の武士たちに対しては、治憲の考えを叩《たた》きこみ、そして、

「改革の先頭に立つ戦士」

に仕立て上げなければならない。そんな状況では、通り一遍の抽象論だけを教えていても役に立たない。平洲は、

（たとえ唐突でも、この連中には財政再建法の根本を叩きこむ必要がある）

と考えた。そこでかれは、

「財政運営の根本原則」

からはじめたのである。

根本原則というのはいうまでもなく、

「入を量って出を制す」

という〝収支のバランス〟のことであった。平洲は講義をつづける。

「財用が不足したときは、節倹の政《まつりごと》をつとめて、格別に支出を抑える以外切り抜ける方法はありません。もともと、財用不足というのは定法をはずれた現象でありますので、財用不足になったときに定法をもってこれを補おうとしても無理

であります。すなわち、財用不足の際は、非常の法を用いて切り抜ける以外ありません。非常の法というのは、ご家中諸役人が、上の心を自分の心として、下々を取り扱うことが大切です。それはとりもなおさず慈悲を第一に考え、下々への当たりも貪欲《どんよく》なることをやめて、下の怨《うら》みを買うようなことがあってはなりません。このことは、すべて君上《くんじよう》のご仁恵《じんけい》によるところが大きいのです」

ここで細井平洲は言葉を切った。十八人の門人たちは思わず顔を見あわせた。それぞれ眼で、

「話の方向がすこし変わってきたぞ」

と語り合った。それは平洲が言葉を切る前に、

「君上」

と告げたからである。君上というのは殿様のことで、米沢藩でいえば上杉治憲のことだ。門人たちは、

(われわれ藩士に講義をなさるのに、なぜお館様が出てくるのだろうか)

と疑問を持ったのである。しかしここは細井平洲の意図するところであった。作戦である。細井平洲はことさらに君上という言葉を挟んだのだ。平洲はつづけた。

「財用不足が生じたときの復興策は、まず君上が格別のご節約をなされ、お手元

ご不自由になることが大切です。それには、もともとお好きなことも我慢なさって、一途《いちず》に費用をかけることをお厭《いと》いになり、下々のために必要な財用におまわしになることです。下々のためには、どんな苦労も厭わないというご姿勢をおみせになれば、当然下に立つご家中の方々も、いままでのような贅沢《ぜいたく》を極めることもなくなるはずです。

財用不足におよんで、父兄妻子を養うことができない者が出たときは、これはまさに樹木に枯枝にたとえることができましょう。枯枝をそのままにして、ほかの枝を養うことはできません。枯枝は思い切ってほかの枝のために取り払うべきです。しかし枯枝を取り除くといっても、それによって幹そのものに傷がつくようではいけません。

したがって、枯枝を取り除くことにも工夫がいります。なんといっても、幹が揺るがず、ほかの枝も被害を受けることなく、逆に木そのものが生き生きと茂るような手当てが必要です。それには、やはり枯枝の質を調べることが必要です。それは、枯枝がなぜ枯れたのかを追求することです。枝の内部から枯れはじめたのは手の打ちようがありません。これは除くよりほか方法はありません。しかし、悪い虫がついたり、あるいは風に吹き折られたりした枝は、必ずしも枝そのものの罪ではありません。したがって、風に吹かれ折れた枝には添木をするとか、あるいは虫のついた枝には油をそそぎかけたりすることが大事です。そうすれば、場合によっては枝も元に戻るかもしれません。

　枝に対しても仁慈《じんじ》の気持ちが必要です。したがって、常々上の心を自分の心として、身分相応に相慎み倹約を大事にし、父兄妻子をもよくいたわることが大事です。つまり家族の中でも病気になったり、あるいは難病に苦しむということはまったく予想もしない難事であって、これは枝が颪に吹き折られたり、虫がついたりするのと同じでありましょう。したがって、こういう枝に対しては格別な仁慈の心を持って対処することが大切です。それを余計な枝だからといって、本来取り除く枝と一緒に取り去るようなことをすれば、これは不仁のおこないといっていいでしょう。このへんのことは、『大学』という本に詳しく書いてあるので、わたしの講義だけではなく、『大学』もよく読んでください」

　ここから平洲の講義内容はまた違う方向にいく。

「上杉家の収入は十五万石です。これは幕府が定めたことであって、それ以上の収入を期待しても無理です。したがって、本来ならこの収入にみあった藩士の定員を定めるべきですが、上杉家には上杉家の伝統があって、農工商三民に比べかなり武士の数が多いと思います。だからといって、ご先祖代々ご扶持《ふち》なさってきた武士の数を、ここでいきなり減らすわけにはいきません。したがって、十五万石の収入に合わせた給与を考えるべきです。また、手当てがつく役職を廃止することによって、一部倹約することができましょう。とにかく役人の数が多いと、議論ばかり多くて実際の実行とは縁遠いことになります。理屈ばかりいい合うことも、財用不足の根源につながると思います。このことは言葉を換えれば、取り除くべき枝がたくさん幹についているということになりましょう。やはり枝葉が麗しく茂るためには、余計な枝は取り払うべきです。数多い役人は、この取り除くべき枝といってよいでしょう」

この言葉に十八人の門人たちは、それぞれ大きくうなずいた。

最初の門人を改革の核に

物や動物などを人間にたとえることを〝擬人法〟という。平洲は人間を物や動物にたとえる。いまは米沢藩という組織や、そこで仕事をしている役人たちを木にたとえていた。〝擬物法〟とでもいうのだろうか。しかしこういうたとえ方はきいているほうにとっては非常に親しみやすい。また理解できる。十八人の門人たちは、細井平洲の講義をきいていて、

(この先生は、内容が豊かなだけではない。伝える話法もかなり達者だ)

と受けとめた。つまり平洲の話し方にはムダがない。一語一語すべて吟味し抜いているので、全部意味を持って伝わってくる。門人たちは、

(こんなに興味深い講義ははじめてだ)

とこもごも感じた。平洲がいう、

「組織も木と同じで、幹もあれば枝葉もある。しかし枝葉の中にはムダなものがあるので、これは取り除かないとほかの枝葉や幹の迷惑になる」

というたとえ話はよくわかった。かれらにとっては、

「米沢城内にもかなりムダな枝葉がある。あるいは幹もある」

と思っていたからだ。そういう雰囲気は講義をしている平洲先生にもビンビン伝わってきた。反応をみて平洲は、

（これはイケるぞ）

と感じた。はじめての講義でこんなに手応《てごた》えを感じたのはあまり例がない。平洲はうれしくなった。同時に、

（ここに集まった連中は、米沢城内でも改革推進派なのだ。しかし上の壁が厚くてなかなか思うようにいかない。それを知った治憲《はるのり》公とその腹心が、この十八人を選んだのにちがいない）

と思い立った。平洲はいままで米沢藩上杉家だけでなく、いくつかの大名家の改革を手伝ってきた。その経験で感じていることは、

「改革は、決してひとりではできない」

ということである。仲間がいる。米沢藩でも藩主の治憲がいかに力んでも、ひとりでは改革はすすめられない。ましてや、江戸で発信した改革計画書をお蔵にして、城内の藩士に配らないような現状であれば、余計このことは大切だ。おそらく治憲が最初の講義を選んだ十八人におこなわせたのは、おそらく次のような

意味があるだろう。
・この十八人は、今後自分（治憲）のおこなう改革の核となる若者たちだ。
・したがって、この十八人は心から信頼できる。
・先生も、忌憚《きたん》のない講義をおこなっていただきたい。
・先生の講義をきいたのちに、この十八人が城内で先生の教えの拡散をおこなう。
・それが広まれば、十八人が二十人になり、あるいは三十人になり五十人になっていく。
・そういう期待を持っているので、どうか先生もこの十八人を信じ思い切った講義をしていただきたい。
そう考えているにちがいない。平洲は十八人の若者たちの表情をみているうちに、その表情の背後で微笑《ほほえ》んでいる上杉治憲の姿をヒシヒシと感じた。そうなると平洲も手抜きの講義はできない。真剣になった。が、平洲は両国橋のたもとで講義をしていたときからの経験で、

「難しいことを難しくいってもダメだ」

と思っている。それは、

「硬い話を硬い表現で告げてもダメだ」

ということである。どんなに硬い話にもユーモアが必要だということである。たまには緩め・弛《たる》みが必要だ。弓の弦もピーンと張りつづければいつかは切れる。たまには緩めたり、あるいははずしてダラーンと下げ、弦にも休息を与えなければならない。平洲が、

「木でも余計な枝葉を切り落とさなければダメだ」

といったときに、十八人の門人たちは期せずして「オー！」と叫び声を上げたい衝動を持った。その衝動は平洲の胸にも大きく響いた。平洲は微笑んだ。そこで、かれは財用不足を解決するための方策としての考えを、さらに樹木にたとえて話しつづけた。

「しかし、どのように用心をしても、やはり樹木は根本の養いが大切です。これを怠っては水気や滋養分の恵みは幹や枝にまわりません。たとえてみれば家臣は枝葉です。主君は根本です。

したがって根本の御徳が養われなければ、やはり滋養分は幹や枝に廻《まわ》りません。根本の御徳を養うことは、文武二道を大切にすることであり、孝悌忠臣《こうていちゆうしん》や仁義《じんぎ》礼譲《れいじよう》の徳は、学問を学ぶことから起こります。そして質素敦朴《しつそとんぼく》、篤実廉恥《とくじつれんち》の風は武から起こります。こう考えますと、やはり徳を養うための節倹の政《まつりごと》は、君《くん》公《こう》の奥向きからはじめることが大切だと思います」

せっかくいいところまでいったのに、こういうふうに話が発展してくると門人たちはすこし頭が混乱した。いま平洲が話していることは、

「城のトップに立つ藩主みずからが、まず自分の徳を養うために、倹約の方策を講じるべきだ」

といっているようにきこえる。もしそうだとすれば、いま平洲が話しているのは藩主である上杉治憲に対する教訓であって、藩士たちに告げることではない。

（細井先生は、いったい何がおっしゃりたいのだろうか）

と門人たちは疑問を持ちはじめた。しかしこれは平洲独特の話法であって、かれはきちんと頭の中では論理構成をすましていた。きき方によってはたしかにいま話していることは、

「藩士よりも、まず藩主が徳を養うことが必要で、それには率先して生活を切り詰めることが大切だ」

とはいっても、米沢城で改めて上杉治憲にそういうことを求めているわけではない。治憲はすでに江戸の藩邸で徹底的な倹約生活を送ってきた。実験ずみだ。平洲がいま話の論理構成として組み立てているのは、そのことを告げたいからである。つまり、
・藩士に倹約を求める以上、トップである藩主がまずその模範を示さなければ

ならない。
・しかし、治憲公はすでに江戸の藩邸で十二分に実験ずみだ。
・したがって、そのことを話すので、きいた藩士たちは治憲公に範を求めることなく、すぐ自分たちの節倹に努力しなければならない。
という骨組みなのである。

しかし世慣れた平洲は一挙に結論にはいかない。過程に重きをおく。平洲は、
「学問を教えるということは、そのすべてを相手のきき手が消化し、自分のものとしなければならない。そうしなければ、講義が相手の滋養分にはならない」
と思っている。したがって、相当時間をかけ、しつこいほどこれでもかこれでもかと同じ話を繰り返す。反復と連続によって、相手もついにこちら側の言葉の端まで呑《の》みこむようになる。呑みこんだだけでなく、嚙《か》み砕いて滋養分に変える。

平洲がいまいいたいのは、
・藩の財用不足を解決するためには、なんといってもトップである藩主自身の倹約努力からはじめる必要があること。
・藩主自身の倹約は、あくまでも愛民の考えに基づいて、民を愛するがゆえに自分が範を示すという姿勢が必要なこと。それは、ただ米沢城の帳簿に生じている赤字をゼロにすればいいということではない。民の心に生じている精

神的な赤字を解消する必要があるのだ。

・トップがそうであれば、そのトップに仕《つか》える家臣たちはトップの心を自分の心として、これまた倹約に努力しなければならない。同時にその倹約はあくまでもトップと同じように〝民のために〟という視点を失ってはならないこと。

・そのためにいまわたしから講義をきく諸君（十八人の門人）は、今後の改革の先駆けとなる必要があること。

・そのために、米沢に入国した治憲公が、江戸藩邸においてすでに実行した倹約努力を、これから述べること。

ということである。十八人の門人たちはみんな頭がいい。

（なるほど、そういうことだったのか）

とこもごもうなずいた。かれらも新藩主治憲が江戸で、「改革計画書」をつくり、それを家老《かろう》に渡して治憲が入国する前に、みんな読んでおいて欲しいと希望した事実は知っていた。しかしその改革計画書は重役陣によってにぎりつぶされ、お蔵にされた。が、こんなことは改革に熱意を燃やす武士たちによってすぐ知られた。

「ご家老たちが、新しいお館《やかた》様の改革計画書をにぎりつぶしお蔵にした」

という事実はたちまち城内に漏れた。が、それに対して先立って抗議を申し入れるような勇気のある武士はまだいなかった。いずれもが、

「休まず・遅れず・働かず」

という悪い風潮に染まっていたからである。選ばれた十八人は、切歯扼腕《せっしやくわん》したが、これもごまめの歯ぎしりでどうにもならない。十八人は、

「やはり、もっと多くの人間がわれわれに同調しなければダメだ」

といい合った。重役たちが隠した事実は知った。しかし治憲の改革計画書にどんなことが書かれているのかは知りたい。そこで、写しがつくられたのである。だから、いま平洲が、

「江戸藩邸でお館様がすでに実行なさった倹約の例を述べる」

と口火を切ったので、みんな眼を輝かせた。いちばん関心を持っていることだったからである。平洲は江戸藩邸で上杉治憲が実行した倹約努力を語りはじめた。

それは、藩の行事を延期、簡素化するだけでなく、平常の食事は一汁一菜、衣服は絹でなく木綿にし、住居の修理の中止、奥向きに仕える女性を五十人から九人に減らすなど、生活費をとことん切り詰めた、ということだった。門人たちは眼を丸くしていた。心の中で、

（そこまで徹底して倹約をなさったのか）

と衝撃を受けた。

「先生」

堪《たま》りかねたように門人のひとりが手をあげた。平洲は話を中断した。

「なんです」

柔らかい眼で質問者をみた。質問者は、

「ただいま、五十人の使用人を九人に減らしたというお話がありましたが、幸姫様付の者まで減らすのは、すこしいき過ぎではないかと思いますが」

質問者の語調には非難の響きがあった。平洲はしかし微笑みを捨てずにこう応じた。

「やはり、例外をおつくりになることは、お館様の改革方針に反することなのです。ですから、幸姫様お付の女性も減らされました。これには、幸姫様付の老女が強く抗議しましたが、お館様はおきき入れになりませんでした。そのかわり」

「そのかわり？」

おうむ返しに質問者がきいた。平洲はこういった。

「お館様が、幸姫様のご面倒をみられたのです」

「は？」

質問者だけでなくほかの連中もびっくりした。

「お館様が、使用人のかわりをなさったというのはどういうことですか」

「こういうことです」

平洲は説明した。平洲には質問者だけでなくここにいる十八人が揃《そろ》って、幸姫付の女性使用人を減らしたことに怒りをおぼえている気持ちを知っていた。というのは、幸姫に特別な事情があったからである。

日向国高鍋藩主だった秋月家から治憲は養子に入った。前は秋月松三郎といった。それが上杉家に入って治憲と名を変えた。かれは婿《むこ》だ。そして妻になったのが幸姫だ。治憲の先代藩主重定の娘である。事情があったというのは、幸姫がいまでいう重度心身障害者だったからである。知能の程度と、身体《からだ》の発育がふつうの娘のようにすすまなかった。身体つきは、十歳ぐらいの幼女だ。十歳のとき上杉家の養子になった治憲は、十九歳になったときに幸姫と結婚した。このとき幸姫は十七歳である。しかし歳《とし》は十七歳でも、肉体的には十歳くらいだったから、尋常な結婚生活はいとなめない。したがって、幸姫のまわりには何くれとなく世話をする使用人が何人もいた。いまでいえば、なかには介護士のような存在もあった。しかし、

「例外は認めない」

という改革方針を出した治憲は、自分の身近なところでもそれを貫いた。そのため幸姫付の使用人も何人か解雇された。幸姫付の老女は嘆き悲しみ、治憲に、

「お館様は、もうすこしお情のある方と思っておりましたが、まるでオニのようなお方です。これでは冷酷非情も度が過ぎます」

と抗議した。しかし治憲は引かなかった。老女を静かにみつめ、

「あなたの気持ちはよくわかる。姫のためにそこまで考えてくださることはありがたい。しかし今度の改革に例外は認められないのです。お許しください」

と丁重に謝った。そしてこのとき治憲は老女にこういった。

「そのかわり、わたくしが時間の許す限り幸姫のお相手をします」

「は？」

老女は訝《いぶか》しげな表情で治憲を見返した。治憲は微笑んだ。

「十分なことはできないでしょうが、できる限り世話をします」

もう一度そういった。

「お館様が幸姫様のご面倒をみるのは、次のようなことでした」

平洲は感慨深げに眼を宙に上げながら、江戸藩邸における治憲が幸姫を世話する光景を思い浮かべた。
・治憲はよく紙で鶴《つる》を折って幸姫に与えた。もらった幸姫はうれしそうに鶴を

宙に掲げ、数が増えてくると針で糸を通して高いところから吊《つ》るした。そして、吊るされた何羽もの紙の鶴を指で突きながら、揺れる鶴の群れをうれしそうに眺め、手を打った。

・ときには治憲は、布で人形をつくった。しかし男のやることなのでいまでいえばてるてる坊主《ぼうず》のような人形だった。しかし考えるところがあって、治憲はその人形に眼鼻口を描かなかった。のっぺらぼうのまま幸姫に渡した。受け取った幸姫は、人形をじっとみつめると、今度は手鏡を取り出して自分の顔をそこに映した。やがて、ひとりで納得すると、口紅や眉墨《まゆずみ》などの化粧用具を絵の具のかわりに使った。そしてのっぺらぼうな人形に眼鼻口を描いた。

・人形の顔ができ上がると、幸姫は治憲に向かってその人形を突きつける。表情では「鏡に映ったわたくしの顔をこの人形に描き写しました。ですから、このお人形さんはわたくしなのですよ」という告げ方をしていた。

平洲はここで話を中断した。十八人の門人たちは眼を潤ませてじっと平洲をみつめた。一様に、

「それで、お館様はどうお答えになったのですか」

ときいている。いつの間にか平洲の話に全員が引きこまれていた。治憲が夫としてでなく、身体の不自由な妹の世話をする兄のように温かい気持ちで接してい

る光景が十八人の頭の中にもありありと浮かんだからである。十二分に自分の話を理解して、素直な感動をおぼえている十八人をみて、平洲はほっとした。

（この若者たちはみんな純粋だ。お館様の美しい行為をそのまま受けとめている）

と感じた。そこでこういった。

「お館様は幸姫様にこうおっしゃいました。あなたにそっくりです、と」

「………！」

門人たちは無言だったが、それぞれが心の中に大きな驚きを感じている様がよくわかった。江戸藩邸では、事実平洲の話したとおりの光景が描き出されていた。

治憲は人形を手にしながらはっきりいった。

「あなたにそっくりですよ」

「………！」

治憲をみつめる幸姫の顔が歪《ゆが》んだ。みるみる眼から涙が溢《あふ》れ出た。幸姫も治憲の言葉を正確に受けとめた。幸姫にとって、治憲が自分にとってどういう存在なのかは理解していない。ただ、

「いつも面倒をみてくださるやさしいお兄様だ」

くらいの認識はあっただろう。そのお兄様が自分が描いた人形の顔を褒めてく

ださった。幸姫にとってこんなうれしいことはない。しかしそのよろこびは表現できない。しかし心の底は震え、よろこびが溢れ出た。そしてそのよろこびは眼に涙となって漲《みなぎ》った。水の滴《しずく》となって頰《ほお》を伝ってころがり落ちた。治憲はその幸姫にさらにこう告げた。

「わたくしはきょうあなたから学びました。あなたは、ご自身でもよくおわかりのとおり身体がご不自由だ。しかしそのご不自由な身体の底から、絵を描こうという新しいお気持ちをお生みになった。そのことが尊いのです。そしてみごとにこのようにあなたそっくりのお顔を人形にお描きになった。

不自由なお身体を克服して、絵をお描きになろうと思い、それをご実行になったあなたの勇気と行動に、わたくしは深い感動をおぼえるのです……」

あの日の光景を細井平洲はきのうのことのようにありありと覚えている。治憲はさらにつづけた。脇《わき》に平洲がいることなどまったく意に介していない。相手は幸姫ただひとりであるかのように語りつづけた。

「なぜ、わたくしがあなたから学んだかといえば、わたくしはこの上杉の家にきて以来、膨大な赤字を克服するための仕事を何もしておりません。毎日帳簿をみては、そこに書かれている巨額の赤字にただ打ちひしがれておののいているだけです。手も足も出ない状況でした。しかしきょうあなたが顔をお描きになったこの人形をみせていただいて、新しい勇気が湧《わ》いてきました。わたくしもあなたに学ぼうと思ったのです。

　きょうから、わたくしも勇気を奮って改革案をつくり、実行に移します。あなたの描かれたお人形は、わたくしにそういう励ましを与えてくださいました。ほんとうにありがとうございます」

　治憲はそういって、人形を幸姫の手に返し、手をついた。深くお辞儀をした。脇にいた細井平洲は思わずまぶたが熱くなった。

（この世に、こんな美しい心を持った人間がほかにおられるだろうか）

　と感じたからである。幸姫のほうは治憲が何をいっているのかわからない。ただ、

「やさしいお兄様は、わたくしが描いた人形を褒めてくださった、うれしい」

　と思っていたくらいだろう。幸姫は治憲が返してくれた人形を胸にヒシと抱きしめ、さらに涙をこぼした。幸姫は治憲にやさしくされたことに、素直な感動をおぼえていたのである。

「翌日、お館様は江戸藩邸にいた武士を全員お集めになり、こう申されました。改革推進には、各人がそれぞれ持っている〝異能〟を発揮して欲しいと」

「異能とは何ですか」

門人のひとりがきいた。平洲はうなずいた。こういった。

「つまり、いまの米沢藩上杉家は異常事態にあるということです。まずその認識を全藩士が持って欲しいということでしょう。異常事態に対応するためには、通常の能力ではとても太刀《たち》打ちできない、やはり異常事態を打ち砕くような異なった能力をみずから掘り起こし、それを発揮して欲しいということです」

平洲は言葉を切った。反応をみた。門人たちは互いに顔を見合わせている。なかには私語する者もいた。米沢藩上杉家は異常事態であるということは誰もが知っている。しかしそこで発揮する異能とは何のことか、まだつかめないのだ。

異能は異常時に発揮する能力

細井平洲が使った〝異能〟という言葉に、十八人の門人が引っかかった。ヒソヒソ話がはじまった。

「〝いのう〟ってなんだ?」

「わからない」

「細井先生のお話は、時々先がみえなくなるな」

そんなことをつぶやく者もいた。平洲は門人たちの間に起こったざわめきを知りながらも黙ってじっと待った。こういうときに、

「何か不審なことでもあるのか?」

と、聞く師や上役がいるが、平洲はそんなことは絶対にしない。相手がいい出すまでじっと待っている。このときもそうだった。やがて門人のひとりが平洲に聞いた。

「先生、いまおっしゃった〝いのう〟という言葉はどういう意味でしょう?」

平洲はうなずいた。

「異能とは、〝異なる〟という字に能力の〝能〟を加えます。つまり、尋常ではない能力のことをいうのです。しかしこの能力が発揮されるには、それを発揮する者が現在の状況をどうとらえるかによって変わってきます。いまの米沢藩上杉家は異常事態にあります。平常な状況ではありません。したがって米沢城に勤めるあなた方は、通常時における能力以外に、異常時に活用できるような能力を発揮することが求められます。この異常時に発揮できる能力を〝異能〟というのです」

「ああ、そういうことですか」

門人たちは互いにうなずき合った。理解できたのである。平洲はつづけた。

「先ほどお話しした江戸藩邸におけるお館《やかた》様のご努力の中で、幸姫様に対するおいたわりのことをお話ししました。あのとき幸姫様がお館様からいただいたのっぺらぼうな布人形に、ご自身がお使いになる化粧道具を使って顔をお描きになったのは、まさしくこの異能発揮の好例といえましょう。なぜなら、幸姫様はみなさんもうご存知のようにご不自由なお身体《からだ》です。にもかかわらず、あのとき幸姫様は絵を描こうというご意志をお持ちになりました。そしてそのご意志を実際に人形の顔を描くことによって実現なさったのです。普段は考えられなかった異なる能力をみずから掘り起こし、それをお使いになったといっていいでしょう」

十八人の門人たちの顔にある種の感動の色が浮いた。

（なるほど、幸姫様のお話にはそういう意味があったのか）

と改めて気がついたからである。そうなると、十八人は、いよいよ細井平洲先生の話は迂闊《うかつ》にはきけないと気がついた。どんなにやさしい言葉を使っても、その言葉の裏には深い意味がある。しかも、豊かな人生経験からくる知恵があった。

十八人はこの異能発揮のことについてもっと深く知りたいと思った。ひとりが手をあげた。

「先生、いまお話しの異能をわれわれが発揮するためには何をすればよいか、を具体的にお教えください」

「そうですね、それは大切なことです」

平洲はうなずいた。顔を上げると平洲は十八人を均等に見渡しながらこう聞いた。

「みなさんの中で、平常お城でなさる仕事のほかに、特別な知識や技能をお持ちの方がおられますか？」

門人たちは顔をみあわせた。その中でひとりが手をあげた。

「先生、わたくしにはございます」

「おい、黒井」

脇《わき》にいた者が手をあげた武士に怪訝《けげん》な表情を向けた。しかしその武士はそんな視線には頓着《とんちゃく》せずにこういった。

「わたくしはかねがねこの米沢の城下町には、良い水がないと思っておりました。そこで、住む人びとにおいしい水を提供できるような水道を敷設《ふせつ》できないか、といつも考えております。その方面の勉強もいたしました。わたくしの考えでは、米沢の城下町においしい水を引くためには、やはり城下町を囲む山々から湧き水《わ　みず》を引くことがいちばん良いのではないかと思います。しかしそれには、山に穴を掘り、水を引く道をつくることが大切です。

わたくしはその方面の勉強もいたしました。いまお城では、書記の役割をしておりますが、いつかこの米沢の城下町に、おいしい水を引くような仕事をしたいと念願しております。これは、わたくしの異能といってもよろしいでしょうか」

これを聞いた細井平洲はニッコリ笑った。そして大きくうなずいた。

「黒井さんとおっしゃいましたか、あなたのいわれたことはまさにわたしが念願する異能です。そして、あなたは米沢に住む人びとにおいしい水を飲ませたい、という温かい気持ちをお持ちです。それは志《こころざし》といってよいでしょう。わたしには、あなたのような知識や技術がありませんので、黒井さんを深く尊敬いたします」

みんなびっくりした。学者の細井平洲が黒井という武士を尊敬するといったからだ。しかし平洲にすれば、自身が藩政の根本は常に、

「民を子と思う親の立場でおこなわなければならない」

と告げている。これは直接藩主の上杉治憲に話したことだが、平洲の希望はなにも藩主だけではない。藩主の下で仕事をする藩士全員がそういう気持ちを持たなければならないのだ。なぜなら、藩士は藩主の分身だからである。上杉治憲が掲げる藩政改革の理念と方法をひとつの器だとすれば、上杉治憲ひとりでそういう仕事はできないので、治憲はその器を細かく割ってカケラをつくり、ひとりひとりに渡す。つまり、

「藩士のおこなうべき仕事」

として指示命令するのだ。そうであれば、そのカケラを受け取った藩士は、

「このカケラは、お館様のご意志とご計画の一部であって、それを頂戴《ちょうだい》した。したがってこの仕事に関しては、お館様と同じ責任がある」

と思うことが必要なのだ。細井平洲の藩における役割は、まさしくこの、

「藩政改革の理念のひとつカケラを自分の事としてではなく、藩主の身になって考え、実行することが大切なのだ」

ということを教えこむことにある。

「黒井さんのほかに、同じような異能をお持ちの方がおいでですか？」

平洲は聞いた。ひとりが手をあげた。

「どうぞ」

平洲にうながされてその武士はこんなことをいった。

「わたくしは子どものときから手先が器用で物づくりが得意です。先日、城下町のはずれにある笹野観音《ささのかんのん》様にお参りしたときに、石段の下でひとりの老人が漉《こし》油《あぶら》の木を使って鷹《たか》をつくっておりました。かなり荒削りなのですが、わたくしにはその老人のつくった鷹がいまにも飛ぶように思えました。そして、いつかああいうものをたくさんつくって、米沢を訪れる人びとに分けてあげたら、これは米沢の名産品になるのではないかと思いました。わたくし自身、いまでは家でせっせとその鷹を彫っております。わたくしの仕事は城内の調度品を調達する役割ですが、この鷹づくりもわたくしの異能といってよろしいでしょうか」

平洲はうなずいた。

「みごとな異能です。そしてあなたのお話にある木彫りの鷹は、この町を訪れる人が買ってくれれば、きっと藩の財政にもいくばくかの寄与をすることになりましょう。立派な異能です」

「先生」

違う者が手をあげた。平洲はその侍をみてどうぞと促した。武士はいった。

「わたくしは農業が大好きです。なぜなら、人間はすべて土から生まれる植物によってかなり生命《いのち》を支えられています。しかし残念ながら米沢は北国なので、欲しくてもできないものがあります。たとえばお茶、みかん、木綿、蠟燭《ろうそく》の元になる櫨《はぜ》などは育ちません。しかしこれらの品々は、領民にとって欠くことのできないものです。現在、藩ではこれを他国から輸入しております。それだけ費用がかかります。そこで、輸入だけが能ではなく、米沢から輸出できるような品物をつくり出すことができないか、と始終わたくしは考えてきました。

たとえば米沢でも楮《こうぞ》の木は育ちます。先生もご承知のように、楮の皮から紙ができます。これを米沢名産の和紙にできないかと常々考えております。また、漆《うるし》の木からは少量の蠟がとれます。櫨のかわりに漆を育てて蠟を幾分かでもとれば、輸入の量を減らすことができましょう。また初夏のころに野に咲き乱れる紅花《べにばな》も何の活用もしておりません。紅花は花を咲かせそのまま枯れます。あれが何かに使えないかと始終思案しております。また、青苧《あおそ》（麻の一種）もこの地域ではよく育ちます。木綿のできないこの国では、麻が大切な衣類になります。これの活用ももっとはかられるべきだと思います。できれば、わたくしは城から出て農村にいき、そういう仕事をしたいと思います。これがわたくしの異能です」

「立派な異能ですね。しかもあなたは城を出て農村にいきたいとおっしゃる。それこそお館様が求めておられるほんとうの改革なのです」

平洲ははじめて本音をいった。

すでに江戸の藩邸で上杉治憲は平洲にこう告げたことがある。

「先生からお教えをいただいた改革をすすめるためには、いまの仕組みをそのままにしておいては実行できません。いっぺん解体して、組み立て直す必要があります」

「お館様、それはいったいどういうことでしょうか」

治憲のいいたいことをすでに察知しながらも平洲はあえて聞いた。治憲は平洲をまっすぐにみてこう答えた。

「身分を壊すことです。いまは身分制がきびしく整えられておりますが、この枠の中ですすめるのでは改革は実現できません。バラバラに壊して、ほんとうの異能をそれぞれが発揮できるような仕組みにつくり変えることが大事でしょう」

「おみごとなご見解です。しかしそれはなかなか難しゅうございましょうな」

「難しいと思います。モノの壁や仕組みの壁は壊しやすいと思いますが、このふたつの壁を壊すのにもいちばん厄介なのが心の壁です。これは容易なことでは崩れません。わたくしの改革は、その心の壁を壊すことからはじめなければいけないと考えております」

「お覚悟のほど感じ入ります。およばずながら、この老学者もそのお手伝いをさせていただきましょう」

「どうかよろしくお願いいたします。いまのわたくしは、先生だけが頼りなのですから」

そんな会話をしたことがある。江戸藩邸で上杉治憲が求めたのは、まさしくここにいる十八人の反応だったろう。平洲は心の中で驚いていた。十八人の門人が、ほとんど治憲に接したことがないにもかかわらず、すでに治憲の改革のスピリット（精神）を、自分のこととしてきちんと受けとめていたからである。平洲は、

「黒井さん」

と呼びかけた。ハイと黒井は応じた。平洲はいった。

「あなたの異能は立派なものです。しかしその異能をご発揮になるとすると、それは武士の身分から工《たくみ》の世界へ移るということになりますよ」

「承知しております。たとえ工の世界に移ったとしても、わたくしはこの米沢の城下町においしい水を引くことができれば満足です。同時に、山から水を引くということは灌漑《かんがい》にも役立ち、荒地を拓《ひら》くこともできましょう。新田を拓いて水を

通し、生産物がさらに増えれば、この国の富も増すということになります。そういうことが実現できるのなら、わたくしは士籍《しせき》を離れてもまったく悔いはありません」

「立派です。平洲、感じ入りました。お館様がお聞きになったら、ほんとうに心からお喜びになると思います」

平洲は農業が得意だという武士に向かって聞いた。

「あなたのお名前は？」

「上田と申します」

「上田さんのお考えは立派です。しかしこれも黒井さんと同様に、あなたがそのお仕事を実際になさるとしたら、農民の世界に入るということになりますよ」

「承知しています。いまのように、休まず遅れず働かずのような、退屈なお城づとめをつづけるより余程ましです」

これにはほかの連中が大笑いした。しかしその笑い声は明るく、また活気に満ちていた。平洲は心の底から、

（お館様がこのことをお聞きになったら、さぞかしお力強くお思いになることだろう）

と感じた。平洲は次のように締めくくった。

「じつを申せば、お館様が今度のご改革をおすすめになるうえで、お城に勤めるあなた方にもっとも求めたかったのが、いまのような事なのです。お館様は幕府をはばかってはっきりとは申されませんが、おそらく改革をおすすめになるうえで、身分制が邪魔になるということは十分ご承知です。いまは士農工商という身分があって、それぞれの位置づけがおこなわれておりますが、お館様のご本心は、身分制というものを職業区分だとお考えになっておられます。そして、それぞれが異能を発揮するときには、それがいっぺん壊れてもよいとお考えです。はっきりいえば、お城に勤める武士で農が得意な者は農の世界に、技術を得意とする者は工の世界に、そしてソロバン勘定《かんじょう》や経営が得意な者は商の世界に、とそれぞれ移ってもよいとお考えです。いや移るべきだとお考えでしょう。しかしこれはあくまでも異常時における異能発揮であって、通常時の営みではありません。したがってお館様がそういうお考えをお示しになったとしても、あくまで時限的なものであって恒久的なものではないと思います。きょうのみなさんのお話を伺って、この細井平洲ほんとうに感動いたしました。この事はお館様にきちんとご報告いたします。さぞお喜びになると思います。ただこの異能実現のためには大きな壁があります」

平洲はそういい切った。そして十八人の顔を見渡した。眼の底に異常な熱をた

たえた十八人の視線が熱く平洲に伝わった。十八人は平洲がいった、

「大きな壁」

が何であるかを知っていた。ひとりがいった。

「壁というのは、重役陣ですね」

みんなうなずいた。平洲もうなずいた。平洲は、江戸藩邸にいたときから重役陣の抵抗の壁がいかに厚いかを痛いほど知っている。しかし平洲は学者だ。顧問的立場にいるので、直接改革に手を出すわけではない。その意味では第三者だ。が、上杉治憲は違う。当事者だ。しかもトップに立って改革の指揮をとる責任を負っている。その足下《そつか》にいる重役陣は、竹俣当綱《たけのまたまさつな》グループを除いては、全員が反対派だ。その証拠に、治憲がせっかく『志記』と銘打って、自分の改革理念やその方法を書いたテキストを、千坂《ちさか》という奉行《ぶぎよう》を通じて米沢へ示達《じたつ》したが、米沢城の重役陣はこれをにぎりつぶした。

「このような内容は藩にとって重大事であって、立案される際に当然国元の重役にも相談すべきである。それがまったくなかった」

というのが大きな理由だ。江戸の空気に慣れた連中なら、

「〝なにが〟という内容が重大であって、どういう伝え方をするかという手続きなど些細《ささい》なことだ」

と歯牙《しが》にもかけない考えもあるだろう。が、国元の重役は違う。頑迷な考えで凝り固まっていた。さらに重役陣の反発は次のようなことにもおよんでいる。

・われわれに相談がなかっただけではない。江戸藩邸にいる者はお館様みずからが改革趣旨をお話しになり、協力を求められた。

・にもかかわらず、本来改革を推進する国元に対しては、一奉行（千坂）をさし向けて示達しただけである。これはあきらかに国元を軽視している証拠だ。

・こういうことが起こるのは、そもそもお館様が上杉家の家格や実情をご存じないからだ。お館様はやはり日向国高鍋の三万石という小さな大名のお生まれだからだ。

などと、治憲の出身にまでおよんだ論を立てた。これはあきらかに治憲に対する侮辱だ。はっきりいえば、ヤクザの世界におけるような手順を踏んでいない、というのがその不満の原因なのだ。手続きにこだわって内容にはいっさい目を向けない。そのためにせっかく治憲が書いた改革のテキスト『志記』も、どこかの机の中に放りこまれて陽の目をみていない。こういう国元の重役たちの気持ちは治憲も十二分に知っていた。平洲も知っていた。そこで平洲の助言による『志記』は、

「自分（治憲）は高鍋侯《こう》の第二子に生まれて、幸いに先君《せんくん》の命《めい》によって当家を相

続することになった。不出来の身ではあるが、各層の絶大な協力を得たい」

というような謙虚な意味の言葉から始まっている。なぜ自分がそのポストを引き受けたかといえば、

「疲れた米沢の国家を再興し、人民を安んずることに自分の身を捧《ささ》げたいからだ」

と告げている。しかしこの高邁《こうまい》な理念を米沢藩の重役たちは頑として受けつけなかった。つまり、

「自分たちをないがしろにした」

ということが気にくわないのだ。くだらない面子《めんつ》尊重と小さなプライドがそうさせた。平洲は江戸にいるときからそのことをよく知っていた。そして、米沢城で上杉治憲の改革を阻む重役連中は、

「坊主《ぼうず》憎けれぱ袈裟《けさ》まで憎い」

のたとえどおり、そのとばっちりを平洲にもおよぼせていた。重役たちもバカではない。字も読めるし学問の素養もある。したがって治憲が千坂を通して米沢城の重役陣に示達した『志記』は、一応それぞれが読んでいる。読み終わった連中は激昂《げっこう》した。まず、

「こんな改革は、名門上杉家の恥を天下にさらすようなものだ」

という論で一致した。もちろんこれはいままで何度も書いたように、

・自分たちには何の相談もしていない。

・江戸にいた連中が新しい養子藩主を核にして、勝手なことを述べ立てている。

・米沢本城を無視したたわごとである。

という考えが底にあるから、はじめから気にくわない。というのは、江戸で新藩主治憲を囲んでいるのは、いまでいえば米沢本社から追放された左遷組ばかりだったからである。そのリーダー格である竹俣当綱は、米沢城で森平《もりへい》右衛門《えもん》という重役を斬殺《ざんさつ》した人物だ。これに連なる莅戸善政《のぞきよしまさ》・佐藤文四郎・木村丈八などもすべて、藩医で学者である藁科松伯《わらしなしようはく》の門に連なる者だ。藁科は自分の学塾を菁《せい》莪《が》館《かん》と名づけ、やる気があり志のある連中を教えていた。細井平洲を発見し、上杉治憲の学問の師にしたのも藁科松伯だった。しかし米沢城の重役陣からみれば、この菁莪館一門を、

「いつも理屈ばかりこね、重役のやり方を批判し、文句ばかりいう可愛くないやつらだ」

という位置づけをしていたので、まとめて江戸勤務を命じた。したがって、米沢本国からみれば、菁莪館グループは藩におけるトラブルメーカーであり問題児だったのだ。

それともうひとつ問題があった。それは米沢藩だけに限ったことではないが、江戸時代の二百七十ぐらいあった大名家が、ほとんど財政難に陥っていた原因のひとつに、

「江戸藩邸の経費」

がある。これは三代将軍徳川家光の時代に制度化された参勤交代の費用や、同時に人質として江戸に住まわされた大名の正妻と世子《せいし》などの面倒をみる家臣が江戸に多数住んだことにある。そして、江戸の生活に慣れてくるとしだいにくらしぶりが贅沢《ぜいたく》になり、費用がかさんだ。江戸風にならなければ、藩同士のつき合いができなかったからである。そのためにこの費用が莫大《ばくだい》なものになり、場合によっては本国の費用と江戸藩邸での費用がほとんど同率になることもあった。これらの費用はすべて本国の年貢《ねんぐ》その他によって賄われる。農民の負担は増大する。これ間に立つ城づとめの武士たちに良心があれば、やはり、

「江戸にいるやつらは、すこし贅沢が過ぎるのではないか。ほどほどにしろ」

という不満も湧いてくる。いま米沢城の重役陣が上杉治憲の『志記』を不満材料として袋叩《ふくろだた》きにしたのは、そういう事情もあった。つまり左遷したつもりの江戸藩邸詰《づめ》の連中も、結構贅沢をしているのではないかという疑いが湧いたからである。そして、日向国高鍋から養子にきた若者をいいように操って、好き勝手

なことを書き連ねたのがこの『志記』なのだという判断を下した。だから、『志記』は、必ずしも上杉治憲が書いたものではあるまいという推測をした。やり玉に挙がったのは、

「本国から追っ払われた連中の中で、多少学問の深い連中がこんなものを書き立てたのだ」

ということである。

藩主は米、藩士は薪と釜

若い新藩主上杉治憲に悪知恵をつけて、後ろから黒子《くろこ》として操っているのは細井平洲にちがいない、という考えが米沢城内に充満していた。細井平洲の立場は非常に悪かった。重役たちにすれば、

・それでなくても上杉家は代々財政難に喘《あえ》いできた。

・それにもかかわらず、好き勝手なことをしては贅沢三昧《ぜいたくざんまい》に暮らしている江戸藩邸のやつらが、新藩主を擁立《ようりつ》してつまらない改革書を書かせるために、細井平洲などという変な学者を雇い入れた。

・この経費もバカにならない。

・したがって細井平洲という学者は新しい〝金食い虫〟だ。しかも新藩主とそれを囲む藩の問題児たちに悪知恵をつけている。

・その悪知恵集が『志記』なのだ。

・こんなテキストを米沢城の武士全員に周知させたり、ましてやこの案に基づ

いた改革を推進するなど、絶対に許せない。

そう考えていた。

江戸の藩邸にいたときもそういう本国筋からの不満や文句は、平洲の耳にも入っていた。もちろん上杉治憲の耳にも入る。したがって、上杉治憲と細井平洲は、

「藩重役層から歓迎されざる存在」

になっていた。しかし平洲は自分のことはともかくも、

「お国入りしたお館《やかた》様がいちばん苦しい思いをなさっているだろう」

と推測している。だからこそ治憲がはじめて米沢入りをするときに平洲は励ましの言葉を贈って、

「勇なるかな、勇なるかな」

と告げたのである。勇なるかな、勇なるかなというのは、

「勇気をもって難事にお当たりください」

ということだ。それも単に蛮勇《ばんゆう》を奮うということではない。平洲がいうのは、

「勇気をもって誠の一字を貫いてください」

ということだ。これは平洲の信条だ。つまり平洲は、

「どんな難しいことでも、誠の一字を貫けば必ず相手は理解する。やがては協力してくれる」

という考えを持っていた。それは人間愛だ。人間愛の根拠は『論語』の中で孔子がいった、

「恕《じょ》の一字」

に尽きる。孔子の門人のひとりがあるときたずねた。

「先生のお教えはすべて道理のあることであって、ないがしろにはできません。しかしわたくしのような頭の悪い者には理解できかねることもあります。先生、わたくしのような人間が正しく生きていくために、これだけは守れということをたった一字でお示しいただくと、どういう字になりましょうか」

孔子は微笑《ほほえ》んでその弟子にいった。

「それは恕だよ」

「じょ?」

字のわからない門人は聞き返した。孔子はその字を書いてみせた。しかしその弟子には意味がわからない。

「どういうことでございましょうか?」

聞き返した。孔子はニコニコ笑いながら説明した。

「いつも相手の立場に立ってものを考えるということだ。つまり、おまえの持っている他人に対するやさしさや思いやりのことをいうのだよ」

「ああ、そういうことですか」

弟子はニッコリ笑ってうなずいた。やっとわかったのである。そして、

「恕、恕」

とつぶやき、

「きょうからは、この恕の一字を大切にいたします」

と告げた。孔子は大きくうなずいて、

「それでよい」

そしてほかの門人に向かっていった。

「この男は正直だ。しかしおそらくきょうからは〝恕〟の一字を大切に生きていくだろう。みんなも真似《まね》をするように」

といった。その門人自身が、

「わたくしは頭が悪いので、せっかくの先生の良い教えも理解できません」

と正直にいったことを孔子は温かく受けとめた。

「そうだ、おまえは頭が悪い」

などといえばこの門人は深く傷つくだろう。どんな人間にも必ず長所があるということを孔子はほかの門人にも教えたのである。ほかの門人は頭が良く、多少天狗《てんぐ》になっている者もたくさんいた。この孔子の指導ぶりを細井平洲は模範とし

ていた。

(自分もいつも孔子のこの教え方の真似をしよう)

と思っていた。それが江戸の塾でたくさんの門人が押し寄せた原因になっていた。

しかし米沢城の雰囲気は違う。この城下町に足を一歩踏み入れたときからヒシヒシとそのことを感じている。つまり敵意と悪意が満ち満ちているのだ。その毒素の中で新藩主治憲はじっと耐えて生きている。

(それを支えるのがわたしの役割だ)

平洲はそう思う。そうなると、勇なるかな、勇なるかなという治憲への励ましの言葉は、そのまま平洲自身にも当てはまる。

(わたしが勇気をもって、誠の一字を貫かなければならない)

そう思う。誠の一字の意味がどういうものか、それを今回の米沢入りではっきり確立していくのがこのたびの使命だと感じた。そして、その誠の一字を貫くことはたったひとりではできない。ちょうどここに集まっている十八人の武士たちがその拡散作用をしてくれるだろう。そう思うと講義にどうしても熱が入ってくる。そしてその平洲の熱意は、十八人の武士たちの胸の鐘を鳴らすように響きつづけている。平洲は講義の締めくくりとしてこんなことをいった。

「みなさん、たとえてみればお館様は米だ。そして士農工商は薪《たきぎ》です。しかし士のうちで、城の重役をつとめる方々は鍋釜《なべかま》といっていい。どんなに米の質がよく、また薪が一所懸命燃えても、鍋釜にヒビが入っていたのではうまい米は炊けません」

部屋の中にワァーという声が起こった。いまでは、平洲論法といっていいような平洲の講義ぶりを十八人の武士は正確に理解していた。みんな、

（細井先生のお話は面白い）

と感じている。しかも、

（面白くてもそのお話の底には大切な宝石がいっぱい詰まっている）

とも感じていた。この米・薪・鍋釜のたとえは十八人の武士たちには話の隅々まで理解できた。疑問などひとつも湧《わ》かない。みんな、

「うまいたとえだ」

と思った。とくに重役たちを鍋釜にたとえ、

「ヒビが入っていたのではうまい米は炊けない」

といういい方は大いに気に入った。というのは、いまの米沢城内の重役たちはみんなヒビが入っていたからである。

笑いでざわめいている部屋の中で、ひとりの武士が急に隣の武士の膝《ひざ》を突いた。

表情が変わり、眼には恐怖の色を浮かべていた。

「なんだ？」

膝を突かれた武士が聞いた。突いた武士は眼で平洲の後ろを示した。そこへ視線をとばした武士も思わずオゥ、と低い声を上げた。全員がそっちをみた。一様に顔色を変えた。恐怖の色が濃く漂った。

「吉田さんだ」

誰かがつぶやいた。みなうなずいた。平洲の後ろに迫った武士は吉田一夢《いちむ》という。五十騎組のひとりで、南原猪苗代町《みなみはらいなわしろまち》に住んでいる。剣を梅沢綱俊《うめざわつなとし》という人物に学び、一刀流《いっとうりゅう》の達人だった。普段から学問を嫌い、

「学問など学ぶと武士が軟弱になり、越後以来の上杉家の武名が廃《すた》る」

と豪語していた。だから今度細井平洲が米沢にやってくるという話をきいて憤慨していた。

「そんな軟弱虫を城に入れる事などもってのほかだ。もしその学者がやってきたら一刀のもとに斬《き》り捨ててやる」

と普段からいい張っている。それがやってきたのだ。十八人は緊張した。思わず、

「細井先生」

と呼びかけようとしたが、みんな黙った。というのは、細井平洲は身じろぎもしない。淡々と話をつづけている。吉田一夢には後ろからいきなり抜刀して平洲を斬ろうという殺気がみなぎっていた。しかしどうしたのか吉田一夢は刀を抜かない。いや抜けない。というのは、淡々と十八人の門人たちに話をつづける平洲の姿勢に、どういうわけか一分《いちぶ》の隙《すき》もないからだ。吉田一夢は眉《まゆ》を寄せた。そしてなんとかして隙を見つけ斬りかかろうとするが、刀が抜けない。十八人の武士たちは顔を見あわせた。そして、

（細井先生はすごいな）

と思った。そんな緊張した時間がどのくらい流れただろうか、やがて吉田一夢が平洲の後ろで唸《うな》った。

「うーむ」

唸り声は平洲にも聞こえた。平洲は振り返った。そこにいる吉田一夢を認めると、

「どうなさった？」

と聞いた。吉田一夢は黙って平洲を睨《にら》みつけた。が、その表情には恐れの色が浮かんでいる。十八人はこんな一夢をみたことがない。あきらかに吉田一夢は平洲を恐れていた。平洲はニコニコ笑いながらいった。

「わたしの話を聞いてくださるのなら、どうぞ前へおまわりください」

そういわれて吉田一夢はいよいよ恐れの色を濃くした。そしてかれは思わずその場に手をついた。

「参りました」

「えっ」

訳がわからない平洲は聞き返す。うつむいたまま吉田一夢はこんなことをいった。

「恐れ入りました。先生には隙が一分もありません。わたくしは、剣をとってはこの米沢城内でも一、二といわれる者でございますが、先生にはどうしても斬りかかることができませんでした。吉田一夢と申します。ほんとうにご無礼をいたしました」

「なんのことかわかりませんが」

平洲は眉を寄せる。吉田一夢はいった。

「先生が米沢城に参られるという話を聞き、わたくしは憤慨しておりました。学問など米沢城に持ちこめば、武士がすべて軟弱になると思ったからでございます。そこで、先生が米沢へおみえになりしだい一刀の下《もと》にお命を頂戴《ちようだい》しようと待ち構えていたのです。きょうはそれを実行するつもりで参りました。しかし、先生にはまったく隙がありません。武芸者のわたくしにとってじつに意外なことです。先生」

吉田一夢は顔を上げていった。

「先生のお姿をみていて、学問と武術は決して別なものではないと悟りました。どうかお許しください」

「どうぞお手をお上げください」

平洲は穏やかにいった。吉田一夢が何をしにきたのかやっとわかったからである。

「吉田一夢さんと申されましたな、率直なお話を伺って胸をなでおろしました。じつを申せば、あなたが後ろにおいでになったことにまったく気づきませんでした。そのこと自体が大きな隙です。いやこれは命拾いをいたしましたな、ハッハハハ」

平洲は大きく笑った。部屋の緊張も解け十八人の武士たちも笑った。吉田一夢は頭を掻《か》いた。そして十八人に向かい、

「おい、この先生は大したものだな、いや、こういう学問ならわしも大いに学びたいよ」

そう告げた。十八人の武士たちは吉田一夢に好意的なまなざしを向け、みんな

うなずいた。一夢はいった。

「先生、先程後ろで盗み聞きましたが、米と薪と鍋釜のたとえはほんとうに面白うございますな。いや、わたくしのみたところ米沢城の鍋釜は大きなヒビが入っておりますぞ。先生のおっしゃるとおりです」

吉田一夢も決して悪い人間ではない。心から上杉家のことを心配している。重役たちにヒビが入っているので、そこへ学者などがきて余計な知恵を吹きこむと、そのヒビがいよいよ大きくなるだろうと憂《うれ》えていたのである。しかし吉田一夢はなんとかして平洲を斬ろうとして隙を狙《ねら》っている間に、平洲の言葉を耳に留めた。そのうちに、

（この学者は噂《うわさ》に聞いたのとは大分違うぞ）

と思いはじめたのである。そうなると持っていた殺意がどんどんうすれ、平洲を斬ろうとする気持ちが変わってきた。それというのも後ろ向きの平洲の姿には、剣客《けんかく》の一夢が感じたように一分の隙もなかったからである。一夢は一途《いちず》な男だった。そこで自分がいままで毛嫌いしてきた学問と、武術とは決して別なものではないと悟った。つまり、

「あることを極めれば、その真髄《しんずい》はまったく同じものなのだ」

と悟った。特に平洲の無防備な淡々たる姿勢はまさに、「無手勝流《むてかつりゆう》」の極意を

思わせた。

「先生」

吉田一夢はもう一度手をついて平洲にいった。

「はい」

平洲は気軽く返事をする。

「きょうからわたくしを門人の端にお加えください。心からお願いいたします」

そういう吉田一夢に平洲はうなずいた。

「どうぞお加わりください。ご一緒に勉強しましょう」

平洲はそういった。一夢はうれしそうに畳に額を摺《す》りつけた。この日、締めくくりに平洲はこう告げた。

「みなさんはそれぞれ胸の中に火種《ひだね》をお持ちだ。その火種を大いに燃やしてください。そして、米沢城内に、さらには米沢全土に飛び火をさせてください。火を受けた方々が、きっとお館様の改革に力を貸してくださるでしょう」

そう告げた後、平洲は吉田一夢をみた。

「吉田さんも熱く燃える火種がおありのはずです。どうかその火種を元に大きな炎を吹き立てていただきたい」

「わかりました。大いに火を燃やします。いや、きょうはほんとうによい教えを賜《たまわ》りました」

吉田一夢はうれしそうにそういった。平洲は、

「これで、火種が十九になった」

と吉田一夢の参加を心からよろこんだ。

江戸での門人が米沢にいた

講義を終えて宿所に戻ると、ひとりの農民が待っていた。平洲の姿をみると、

「細井先生」

と懐かしそうに声をかけてきた。農民をみた平洲は思わず、

「おう、金子《かねこ》さん」

と相好《そうごう》をくずした。平洲が江戸にいたころ、その塾の嚶鳴館にしばしば顔を出していた金子伝五郎《でんごろう》という農民だ。頭がよく、平洲の講義には熱心に通ってきた。やがて故郷に戻りますと挨拶《あいさつ》にきた。

「お国はどちらですか」

と聞くと、

「米沢です。お城から北へ五里《り》ばかり（約二十キロ）のところに小松村《こまつむら》という村があって、そこに住んでおります」

そんな答え方をしたのを平洲は憶《おぼ》えていた。

「そうでしたな、金子さんは米沢でしたね」

と思い出してうなずいた。

「で、きょうは？」

「先生が米沢においでになると伺って、お懐かしさのあまり駆けつけました。それにお願いがございます」

「なんでしょう」

「小松村で、弟の大助《だいすけ》も一緒になって読書会を開いております。ついては、お時間のあるときに先生に村までおいでいただいてご指導を乞《こ》いたいのですが」

「造作《ぞうさ》もないことです。お館《やかた》様のお許しを得て必ず伺います」

「ありがとうございます。お訪ねした甲斐《かい》がありました」

金子伝五郎はうれしさを眼からほとばしらせた。

米沢にきたからといって、細井平洲はすぐ上杉治憲に会えたわけではなかった。治憲は忙しかった。治憲自身が城内でのいろいろなうるさい手続きや雑務に追われていて、落ち着いて平洲に会うことができなかった。しかし平洲はそんな治憲に同情しつつも、一面では、

（お館様にお目にかかる前に、米沢の実情をすこしこの眼でみて歩きたい。農民たちの話も聞きたい）

と思っていた。そのため金子伝五郎の来訪は渡りに船だった。平洲は、

（お館様にお目にかかる前に、小松村にいって金子兄弟たちと一緒に学びながら、藩の実情を教えてもらおう）

と決意した。治憲自身はそう頻繁に村を歩いたり里をたずねたりすることはできまい。それなら自分がかわりに藩内を歩きまわって実情を知り、そのことを治憲に告げることも決してムダではないと思ったからである。

治憲は平洲に米沢城内の馬場にある御殿松桜館を宿舎として用意させていた。そして江戸以来馴染《なじ》みの深い神保綱忠を松桜館館長に任命し、

「細井先生が米沢におられる間は、おまえが学問の補佐役をつとめ、同時に先生のお身のまわりの面倒をみよ」

と命じていた。神保綱忠は謙虚な人間だから、この任命を非常に名誉に思っていた。神保は心から細井平洲を尊敬していたからである。松桜館に戻ると神保綱忠がすぐやってきた。

「いかがでございました？　十八人は」

「大変頼もしく思いました。みんな胸の中に火種《ひだね》を持っています。きょうわたしはそれぞれの火種に火を灯《とも》しました。あしたから大いに燃え盛ることでしょう」

「さようでございましたか。それはほんとうによろしゅうございました。別にご

無礼を働くような者はおりませんでしたか」

「吉田一夢さんがみえました」

「ええっ、吉田が？」

神保綱忠は顔色を変えた。険しい表情になって、

「では、あの男がなにか失礼なことを」

「いえ、話のわかる方で、門人のひとりに加えて欲しいといわれました」

「ええっ、あの吉田がですか？」

神保は眼をみはって疑わしそうな表情をした。平洲はうなずいた。

「最初はわたしを殺そうとしたようです。しかし、悟るところがあって諦《あきら》めました。たしか、剣と学問は一致するというようなことを申されて、一緒に学びたいと申し出られました。吉田さんの胸の火種にも火が灯ったと思われます」

「それは」

神保は驚嘆の声を放った。あとの言葉がつづかない。まじまじと平洲を凝視した。やがてニッコリ笑った。

「さすが先生でいらっしゃいますな。あの乱暴者を手なずけるとはほんとうに素晴らしいお力です」

「いや、手なずけるなどという事は適当な言葉ではありません。吉田さんは犬で

はありませんからな、ハッハハ」

平洲は笑った。神保もつられて笑った。しかし感嘆の色はまだ消さずに眼に濃く浮かべたままだ。ほんとうに驚いたらしい。

「ところで」

平洲はいった。

「小松村に江戸時代からの知人金子伝五郎という男がおります。きょうたずねてまいりました。小松村へきて欲しいそうです。いこうと思いますが、お館様にお許しを得ていただけますか」

「かしこまりました。伝五郎はほんとうに学問熱心な男です。また、村ではいろいろと村民の世話をしておりまして、かなり人望が高い人物です」

「ほう、たとえば？」

用意された部屋に落ち着くと、平洲は食膳《しょくぜん》を前にしながら神保の話を聞いた。

この日、神保綱忠が細井平洲に話した金子兄弟のおこないというのは次のようなことだ。
・伝五郎・大助兄弟は非常に仲がよく、家業の農業に一所懸命勤《いそ》しんでいる。そのため、多少の財が得られた。
・兄弟は相談して、その財を困っている農民に貸し出すことを考えた。

「つまり、質屋ですか」

平洲が聞いた。神保はうなずいたが、こんな事をいった。

「それが、はい、たしかに質屋ですがふつうの質屋とは違います」

といって、その違いを次のように説明した。
・金子兄弟も金融だから当然担保は取る。しかし担保がないといえば兄弟は無《む》理強《りじ》いはしない。つまり無担保で金を貸す。
・取った担保が土地であれば、農民にとって大切なものなので、早く借金を返して土地を自分の手に取り戻すことをすすめる。そのため利子はあまり高く取らない。無利子でもいいのだが、しかし借り手がどうしてもといえば、ごくわずかな利子を取る。
「ははあ、そうなると金子兄弟の金貸しというのは、農民たちの生業《なりわい》を盛んにするための資金、ということですか」

平洲はそうきいた。神保はうなずいた。

「そのとおりでございます。兄弟のやっていることは、金貸しで得られる利益をひとり占めにはしない、村のために役立たせなければいけない、という考えなのです」

「立派ですな。お兄さんのほうはわたしの江戸の嚶鳴館に通っておられたころから、誠実でまったく私欲のない人でした。いや、よいお話を伺いました」

「金子兄弟に学ぶべきことは、われわれ武士にもたくさんあります」

「たとえば？」

「貧しさを罪とみないということです」

「どういうことですか？」

神保綱忠の話が唐突なので平洲は眉《まゆ》を寄せてきいた。神保は次のように説明した。
・世間の習わしで、ここの地域でも貧乏人はバカにされる。そして優位に立つ人間は「貧乏人は甲斐性がないから貧乏をするのだ。もっと努力すれば貧しくはならないはずだ」というような考えを持つ。
・つまり「貧しさは本人の自業自得であって、何か罪を犯したからそういう状況におかれるのだ」と蔑《さげす》む。
・この風潮は人間を差別するということで、決して好ましいことではない。しかし貧しい者はそういうみられ方をすることを甘受し、「たしかに貧しさは自分に甲斐性がないからだ」と反省する。そうなると「貧乏人は罪人だ」というような極端な考え方が広まっていく。
・こういう風潮に対し金子兄弟、とくに兄の伝五郎は「それは違う」と唱えた。

「貧しさは生まれたときからの環境によるもので、決して本人の罪ではない。貧乏人は罪人だなどという見方をするのは間違いだ」と唱えつづけている。
・この考えが、貧しくて金子兄弟に金を借りる人間を大いに勇気づけた。つまり兄弟は「いまの貧しさはおまえさんたち自身の罪ではないのだから、せっせと働いて早く借金を返すように努力しなさい」と励ます。この励ましが、小松地域で住民にどれほどやる気を起こさせているかわからない。
きいた平洲は大きくうなずいた。神保綱忠は平洲をみてこういった。

「先生、金子伝五郎がそういうことを唱えるようになったのも、江戸で先生から教えをいただいたからだといっておりますよ」

「ほう、金子さんがそんなことをいいましたか。それはわたしも学者として冥利《みようり》に尽きますな」

平洲はニッコリ笑ってそういった。神保も微笑《ほほえ》み、

「先生の教えはわたくしも江戸でずいぶん伺いましたが、先生はいつも現実生活に役立たないような学問は学問ではない、とはっきりおっしゃいました。金子伝五郎はその教えをしっかりと守っているのです」

「うれしい次第です、これもまたよい話を伺いました」

平洲は神保綱忠からきいた話をそのまま心のメモに書きつけた。いずれどこか

でこの話を教材に使うつもりだ。平洲は神保にきいた。

「そういう人柄では、小松村ではさぞかし村の人びとも金子兄弟に感謝しているでしょうね」

「しております。兄弟の心根に打たれて村の人たちは、いつも何かお礼をしなければ申し訳ないと考えております。実際に口に出して、何かお世話をさせてくださいとか、恩返しをさせてくださいと申し出る村人はたくさんいます」

「それに対して兄弟は何か村人に頼みましたか」

「別に生活に困るわけではありませんから頼みごとは致しません。ただ冗談交じりに、そうだな、もしも家が火事で焼けるようなことがあったら手伝って欲しいな、などといっておりました」

「まさに冗談ですな。家が焼けては困るでしょうから」

「ところが先生」

　ここで神保綱忠は眼を輝かせてこういった。

「実際に火事が起こって弟の家が焼けてしまったのです」

「ほう、で、どうしました？」

「日ごろから世話になっていた村人たちがいっせいに駆けつけました。火を消したり荷物を運び出したりして、被害を最小限に食い止めたのです」

「奇特なことです。良かったですね」

「この話はまだつづきがあります」

「きかせてください」

「焼け跡に新しい家を建てることになりました。みんな手伝いました。ところが兄弟が示した設計図では、焼けた家よりもかなり小さい家なのです。みんながききました。なぜ前よりも家を小さくなさるのですか、と」

「当然でしょうな。それで兄弟はどう答えましたか？」

「前の家は親からゆずられたので、手をつけるわけにはいかない。勝手に小さくすればそれは親不孝になるのでそのまま使っていた。しかし普段から兄弟はこんな大きな家に住むのは身分不相応だ、村の人たちにも申し訳ない、といっておりました。そこで火事で焼けたのを幸いに、今度は身分相応の納得のいく小さな家に建てかえるということなのです」

「それまで、大きな家に住んでいたために村人の反感を買うようなことがあったのですか？」

「ないとはいえません。そういう連中は金子兄弟から金を借りなくても生きていける人びとです。腹の中ではやはり金子兄弟のやり方を苦々しく思っていたのでしょうね。実際を知りませんから、あんな大きな家に住んで親からゆずられた財産を基に、金貸しをして儲《もう》けているという見方もあったのです」

「当然ですな。しかし、火事をきっかけに家を小さくするというのは、これもなかなかできないことですな」

「そのとおりです。あの兄弟はまったく非の打ちどころがありません。しかしそれもすべて先生のお教えですよ」

「そんなことはありませんよ。立派な兄弟のお話を伺って、わたしのほうがむしろ学びたいくらいです。かれらに教えることなど何もありません」

「そうおっしゃらないでください。金子兄弟にすれば、自分たちがそういうおこないができるのもすべて細井先生のおかげだ、と告げているのです。ですから金子伝五郎が望むように、ぜひ小松村にお出かけいただいて村の人たちに教えをお示しください。そうすれば金子兄弟も、自分たちがやっていることはすべて先生の教えをただ実行しているだけなのだ、ということが改めて村人に告げられると思っているのです。どうかよろしくお願いいたします」

「わかりました。神保さんにいわれては断るわけにもいきません。ただ、お館様のお許しだけは得てください」

「わかりました。お館様も決して反対はなさらないと思います。むしろ、これからお建てになる藩校の講義が、実際に現場でおこなわれる例をおつくりになるという意味で、大いに歓迎なさるでしょう」

「そう思っていただければほんとうにうれしいのですが。よしなにお願いいたします」

細井平洲は丁寧に頭を下げて神保綱忠に頼んだ。

細井平洲の考えも神保綱忠と同じだ。いま米沢藩上杉家は真っ赤っかの火の車だ。財政難に苦しんでいる。そんなときに新しく学校を建てるといえば、保守的な重役たちはまた反対するにちがいない。

「この赤字財政の折りに、さらに〃金食い虫〃の学校を建てるとは何ごとですか。そんな金はどこにもありませんぞ」

というにちがいない。しかし平洲の知る上杉治憲はそんな反対論にすぐ尻尾《しっぽ》を巻くような殿様ではない。若いけれども勇気がある。それは平洲がはじめて米沢入りをする治憲に、

「お館様のお志《こころざし》を実現するのには、勇気以外ありません」

といって大いに励ましたからだ。〃勇なるかな、勇なるかな〃という平洲の言葉を、上杉治憲は眼を輝かせて受けとめた。

治憲にすれば平洲のその言葉がどれだけ怯《ひる》みがちな自分の気持ちを引き立ててくれたかわからない。平洲は痩身《そうしん》でそれほど力はない。しかし治憲にすれば、後

ろからソッと肩を押してくれた平洲の力強さは身を震わせるほどだった。

それほど頼もしかった。平洲はそのときの治憲の姿をしっかりと記憶している。だから、

(多少の反対があったからといって、お館様は簡単に学校をつくるお気持ちを捨てる方ではない)

と信じている。そして江戸にいたころから治憲は、

「財政難のときこそ研修や教育が大事です。それには学校が必要です。しかしその学校も武士だけが学ぶのではなく、農工商三民も学んでもらう必要があります。そのことが、上杉家が直面している財政難の実態を、全藩民が知るということにつながります。そのときはじめて、どうすれば赤字を克服できるか、という課題をみんなで考えることになります。ですから、わたくしが頭の中に描いている藩校は、必ずしも米沢城内だけではなく、藩内の隅々までいきわたらせたいのです」

といっていた。

そのとき平洲にはピンときた。

・お館様は、新設する藩校を米沢城の武士だけに開放する気ではない。

・藩民である農工商三民にもすべて活用してもらいたいのだ。

・しかし、赤字財政に苦しむ米沢藩があちこちに分教場をつくるだけの財政的余裕はない。
・農工商三民もふだんの仕事が忙しくて、簡単に城下町にきて学校へ通うわけにはいかない。つまり現場から離れられない。
・そうであれば、現場にいたまま学べるような措置を講じなければならない。それには分教場が必要になる。
・しかし財政難の藩に対し、分教場をつくってくれとはいえない。
・そこで、分教場になるような地域の小さな施設が必要だ。
・その施設は、たとえばお寺の本堂や境内《けいだい》、あるいはお宮の境内、さらには名《な》主《ぬし》さんや庄屋《しょうや》さんの家の縁側や庭を活用すれば、立派な分教場になる。
平洲はそう考えていた。だから金子伝五郎に頼まれて小松村の出張講義にいくとしても、平洲はすでに、

(金子さんの家の庭や縁側をお借りしよう)

と考えていた。これがうまくいけば、上杉治憲が目標としている新設の学校のあり方が浮き彫りになって、ひとつの実験例になる。

平洲にしてもいま城の重役たちから白い眼でみられているので、そういう実績を上げれば重役たちもあるいは考えを変えるかもしれない。したがって小松村で

の実験は、重役たちに対する平洲の反撃でもあった。その反撃が必ず上杉治憲の役に立つ、と信じていた。別な言葉を使えば、平洲は、

「この実験で、まずわたしがお館様の火種のひとつになろう。小松村から火をつけるのだ。火種運動の発祥地にしよう」

と考えていたのである。そう思うと胸の中にもりもりと勇気が湧《わ》いてきた。平洲はいま四十四歳だが、まるで青年になったような心のたかぶりを感じた。
二、三日後、平洲は宿舎を出て小松村に向かった。神保綱忠が、
「細井先生、小松村でのご講義をお館様がご許可になりました」

眼を輝かせて告げにきてくれたからである。平洲はうれしかった。上杉治憲とはたとえ会って話をしなくても、心と心が常にいつも通じているという自信があった。いうところの〝あ・うん（あは吐く息、うんは吸う息）の呼吸〟がピッタリ合っているのである。だから米沢城内の空気がいかに険しく、またそこから投げられる礫《つぶて》がどんなに痛くても、細井平洲は我慢できた。というのは、

（自分だけではない。お館様のほうがさらにつらい目におあいになっている。それをお館様はじっと耐えておいでなのだ）

と思えるからである。そして耐える治憲自身も、

（平洲先生こそ、つらい思いをなさっておられる。せっかく師として米沢へお招

きしながら、逆に先生を苦しめる結果になった）と反省しているにちがいない。その治憲の姿がありありと平洲の脳裡《のうり》に浮かぶ。

このころの小松村は、現在、山形県東置賜郡川西町《ひがしおきたまぐんかわにしまち》になっている。米沢から新潟県の坂町駅《さかまちえき》にいく〝米坂線《よねさかせん》〟というJR線があるが、この羽前小松駅《うぜんこまつえき》近辺がその地域にあたる。

昭和三十（一九五五）年に一町（小松町）五村（犬川村《いぬかわむら》・大塚村・玉庭村《たまにわむら》・中郡村《ちゆうぐんむら》そしてちょっと遅れて吉島村《よしじまむら》）が合併してできた町だ。中心は小松町だった。現在川西町は〝日本一のダリアの町〟として有名だ。

金子伝五郎・大助兄弟はその地域での〝人間的核〟になっていた。藩主上杉治憲の許可を得て平洲が小松村にいくと、村の入口で大歓迎を受けた。先頭に立っていたのは金子伝五郎・大助兄弟である。

「先生、ようこそこんな小さな村においでくださいました。ほんとうにうれしゅうございます」

米沢まで出かけていって願ったことがたちまち実現されたので、金子伝五郎の喜びはひとしおだった。どうぞどうぞと自分の家に案内した。金子伝五郎は、自分の家の縁側に机をおき、庭にムシロをたくさん敷いてあった。すでに、村の人びとが老若男女を問わずひしめいていた。

みんないっせいに平洲をみた。そして好意に溢《あふ》れた笑顔で迎えた。平洲はうれしかった。平洲がいちばん安心するのは、民衆のこういう顔をみたときだ。小松村の村人の笑顔はつくったものではない。心からの笑みだ。それはそのまま、

(たとえ貧しくても、心豊かに暮らしている人びと)

の姿が垣間見《かいまみ》えた。

「先生、どうぞ縁にお上がりください」

伝五郎がそういった。平洲は縁側と庭を見渡しながらこう応じた。

「いや、わたしはそこに座らせていただきますよ」

平洲が指さしたのは、庭から縁に上がるためにおかれた沓脱石《くつぬぎいし》だった。縁側に上がるときに履物をそこで脱いで上がる。平洲はその石に腰かけたいと申し出た。

伝五郎は弟の大助と顔を見あわせたが、大助はニコニコ笑いながらうなずいた。眼で、

(兄さん、先生のおっしゃるとおりにしましょう)

と告げている。伝五郎もうなずいた。そして、

「わかりました。おっしゃるとおりにいたします。机はどうしましょうか？」

ときいた。平洲は、

「机はいりません。石に腰かけさせていただきますよ。そうすれば、みなさんか

らこのつまらない学者の顔がよく見えるでしょう」

平洲と金子兄弟のやり取りに、村人たちはみんな耳を澄ませている。神経を平洲と金子兄弟に集めていた。視線はすべて平洲に注がれている。平洲の言葉にみんなドッと笑った。

「面白い先生だね」

「講釈が楽しみだ」

そんなヒソヒソ話がきこえた。平洲は沓脱石に尻を下ろした。眼を上げて村人たちを見渡した。村人たちは静かになった。息を呑《の》むようにして平洲を凝視している。平洲はいった。

「皆の衆」

平洲は言葉を切った。というのは、あとをつづけようと思っているのに、村人たちがいっせいに手を叩《たた》いたからだ。万雷の拍手といっていい。おそらく金子兄弟から事前のPRがいき届いていたのだろう、あるいは兄弟から、

「平洲先生がおみえになったら、盛大な拍手をするように」

といわれていたのかもしれない。平洲はちょっと閉口した。慌てて手を振りながら拍手を止めた。すぐ相好《そうごう》を崩しこういった。

「お仕事が忙しいのに時間を割いてくれてありがとう。また大変な拍手で迎えて

くださってこれもお礼をいいます。でもね」

平洲はまた村人たちを隅々まで見渡し、こうつづけた。

「みなさんはきっとすぐわたしに手を叩いたことを後悔しますよ。手なんか叩くんじゃなかったとね。さらに後悔はつづくよ。それは、くるんじゃなかった、と思うことです」

村人たちはドッと笑った。かなりの人びとが、予想に反して平洲が気さくな語り口をすることに驚いた。平洲はさらにつづける。

「それは、わたしの話が決してみなさんの参考にならないからだ。おそらく話の途中でみなさんは、こんなことならくるんじゃなかった、仕事をしているほうがましだったと思うにちがいない。そう思った人は遠慮なくどんどん立って欲しい。仕事に戻ってください。わたしの話は、大切な仕事を台なしにしてもいいようなものでは決してない。そこは気楽に考えて欲しい。さあ、いまからでも仕事に戻りたい人はお帰りなさい。わたしは別に気にはしませんよ」

そういった。村人たちは思わず顔を見あわせた。笑顔を失ってはいなかったが、眼と眼で、

（どうする？）

ときき合っている。なかには本気で、

（こんな話をきくよりも仕事のほうが大事だ）

と思っている村人もいるのだ。平洲はそのへんの機微をよく心得ていた。しかし村人はひとりも立たなかった。これも金子兄弟のある程度の強制力が働いていたのかもしれない。

「わたしが金子伝五郎さんと知り合ったのは江戸の両国橋のたもとです」

平洲は語りはじめた。両国橋で何をしていたかを語る。自分の体験をそのまま話した。平洲は、

（民衆に話をするときは、体験談がいちばん受け入れられやすい）

と考えている。同時に、

（体験談を語るときは、表現を大げさにしたりつくったりする必要はまったくない。自分が体験したことをありのままに語れば、民衆はそのまま受け入れてくれる）

ということを、両国橋の青天井のもとでおこないつづけた講釈の経験から知っていた。体験話にウソをまじえたり、大げさな表現をとればきき手は必ず見抜く。そして去ってしまう。両国橋のたもとで、平洲自身もきき手が増えてくるに従って、

「この人びとを喜ばせよう」

あるいは、

「ウケよう」

と思ったことがあった。そういう不純な動機が湧くと話がしだいに大げさになり、またウソが混じる。しかし敏感なきき手はそれをすぐ察知する。両国橋のたもとでも平洲の話にそういう不純物が混じると、クルリと背を向けて去っていく人がいた。それをみて平洲は猛反省をした。去っていく人の後ろ姿が鋭い錐《きり》を平洲の胸に打ちこんだからである。そのとき平洲は、

（二度とこんな真似《まね》はすまい）

と思った。

「金子伝五郎さんは、そのころ多くの人に混じってわたしの講釈をきいてくれたひとりです」

そう告げると村人たちはオーッという声をあげて、金子伝五郎のほうに視線を移した。伝五郎はまぶしそうな表情をした。平洲は、その後伝五郎が自分の塾に通ってくるようになり、真面目《まじめ》な勉強家でわからないことははっきりと自分に問いただしたことを話した。別に伝五郎を持ち上げているわけではない。事実を話した。つまり、

「なぜ、きょう自分は小松村にきたのか」

ということを説明するために、この会場を設けた伝五郎と知り合ったきっかけを話したのである。

この日、平洲先生が小松村でやった最初の話しかけ方法は、現在でも役に立つ。とくに、

「言葉によって自分のメッセージを伝えたい」

と考える人びとには平洲先生のやり方は巧妙だ。つまり最初、平洲先生が小松村にいって、話したことは、

・金子伝五郎さんと自分（平洲）がなぜ知り合ったのか。

・金子さんは何のために自分をきょうここに呼んだのか。

ということからである。本来のテーマをそのまま話し出したわけではない。非常にまわりくどいやり方である。しかし平洲先生にとっては、

「自分がなぜ小松村にきて話をするのか」

ということを、

「村の有力者である金子さんが招いたからだ」

ということにすれば、まずそのことによって村の住民たちは納得する。あるいは関心を持つ。もし金子伝五郎がこの村で尊敬されていれば、

「自分たちが尊敬する金子さんが招いた学者さんなら、間違いはなかろう。きっ

と良い話をしてくれるにちがいない」

と思う。ということは細井平洲についてのオリエンテーションというか、インフォメーションがすでに金子によっておこなわれているということになり、その部分は平洲自身が自己紹介をしたり、面倒くさいことをいったりする必要がなくなるからだ。したがってこれはまわりくどいやり方にみえるが、実際にいえば、

「時間の短縮をするうまい方法」

なのである。

わたしも月に何回か講演の機会がある。地方へ出ることが多い。このとき落語でいえばいわゆる〝枕《まくら》〟に当たる導入部分で、

「ご当地ソング」

といわれる話をする。ご当地というのは呼んでくれた地域のことであり、ソングというのはその地域にかかわりを持つ諸々《もろもろ》の話題だ。たとえば、地域における有名人（現存するか死んでいる歴史上の人物かは別にして）について話す。これによってきいてくれる人たちに、

「おや、この演者はわれわれの住んでいる地域にそんな関心を持っていたのか」

と思わせる。あるいは地域の持つ遺産、寺とか神社とか山とか川などの自然も入る。いちばんいいのは、

「何年か前に、一度ここに伺わせていただきました」

と実際にたずねた経験を話すことだ。そしてそのときに味わったことを話すとさらに関心を寄せてもらえる。地域に対する感想を述べるだけではなく、自分がそのとき経験したことそのものを話すと、余計眼を輝かせてくれる。いちばん効果的なのは話をききにきてくれる人の中に、そのとき接触した人物がいることだ。会場にその人を発見して、

「おや、○○さん、あのときはほんとうにお世話になりましたね」

などといえば、その日の会場の大部分の聴衆は本題に入る前から演者に注目してくれる。これらを〝ご当地ソング〟を謳《うた》うという。平洲がこの日小松村でおこなったのは〝ご当地ソング〟をまず謳ったことだ。つまり〝小松村ソング〟を謳ったのである。そのきっかけづくりが金子伝五郎であった。しかしこの場合に金子伝五郎が、村で尊敬される人物ではなくむしろ嫌われているような人間だったら効果はない。その意味で平洲が金子伝五郎の話から入ったのは成功だった。小松村へくる途中平洲は、

「きょうは村人たちにどんな話をしようか」

といろいろ考えた。ほんとうなら、

「新しいお館様は、みなさんのためにこういう改革をお考えになっておられる」

ということを告げたい。平洲自身、

「お館様の耳となり口となって、村人たちの意見をきき、同時にお館様のお考えを、みんなに知らせることがわたしの役目だ。それがいまのわたしに天が命じた役割なのだ」

と思っている。現代流にいえば、

「自分（平洲）は、上杉治憲のための広報と広《こう》（公）聴《ちょう》をおこなう」

ということなのである。PRの役割を負っていた。おそらく上杉治憲もそれを期待しているにちがいない。治憲自身は非常に研究熱心だ。また事実を大切にする。そしてヒューマニストでもある。したがって改革推進の過程では、

「現地にいって、民からの声をしっかりと耳にとどめたい。そして、自分のいいたいことも告げたい」

と願っているにちがいない。しかし殿様の身でそんなことは簡単にできない。どうせ古い連中が寄ってたかって止めるにちがいないし、またたとえそれが実現できたとしても、殿様のことなのだからお供がたくさんついてきて、思うように話をきいたりこちらから告げたりすることができない。古い役人たちはそんなことをするとしても、おそらくヤラセになる。質問も前もって定め、ある人間に対して、

「お尋ねがあったらおまえはこういうことをいえ」

と決めている。つまり対話の脚本ができているのだ。そんなことは治憲の望むことではない。ウソとウソで固めたことをやり合っても、何の役にも立たない。真実の声を告げたい人間がみんなどこか隅に押しこめられてしまう。治憲の前で話をしたりきいたりするのはどうせ役人たちが前もって、

「しっかり頼むぞ」

と命じたサクラにすぎない。そうでなくてもすでに米沢城内での上杉治憲の評判は悪い。そして上杉治憲の評判を悪くしているのは細井平洲だ。

「あのろくでもない学者がつまらないことばかり養子の殿様に吹きこむから、養子の殿様もそれを本気にして改革だなどと難しいことばかりおっしゃっている」

と受けとめられている。上杉治憲と細井平洲にとって、米沢城内はすでに〝針のムシロ〟だった。座る場所にはすべて針が立っている。座ればすぐ足と尻を突く。痛い。しかしその痛さに耐えなければ、上杉治憲の改革はすすまない。また細井平洲の教えも生きない。

だからきょう小松村で村人たちに話をすることは平洲にすれば、

(お館様の改革の前宣伝をすることになる。責任が重い)

と考えていた。しかしそれだけにいきなり細井平洲のめざす改革理念やその内

容を告げることは短兵急《たんぺいきゅう》すぎる。〝ご当地ソング〟を謳うこともそうだが、平洲は長年話術によって人びとを説得してきた学者だから、

「何を話すか」

　ということよりも、

「どのように話すか」

　ということのほうに重要性をおいてきた。その〝どのように話すか〟という話法では、

「話を進めるごとに相手の納得を得なければならない」

　ということを大切にしている。話全体を告げる過程においても、話したところまで完全にきき手が消化してくれる必要がある。相手がまだ完全に消化していないのに、こっちのほうが気ばかり急《せ》いて、次々と話を進めてしまえば相手はわからなくなる。すると結局はそれまでせっかく納得したはずの話も再びスタートに戻ってしまう。こんなことがよくある。平洲もよくそういう経験をした。平洲はいままで決してパーフェクトな道を歩いてきたわけではない。失敗もいくつかある。それがこの、

「せっかく相手が消化したはずの話を、再び出発点に戻してしまう」

　ということであった。ことに小松村での話はきょうがはじめてだ。同時にその

内容を上杉治憲の改革にしようと思っている。こんな重大な話をふつうの話し方をしても決して相手は納得しない。すぐ、

「なんだ、そんな難しい話なのか。きいてもしかたがない」

とそっぽを向くだろうし、あるいは連れ立って家に戻ってしまう。

「話をきいているよりも、土を耕していたほうが余程ましだ」

と考えてしまう。小松村へくる途中平洲先生はそういうことについてあれこれと考えをめぐらした。緊張した。金子伝五郎のためだけではなく、上杉治憲のためにもきょうの話は大事なのだ。しかし緊張したまま話の場に臨めばきき手は堅くなってしまう。そこが難しい。

金子伝五郎が司会者の役を負って、まず江戸両国橋のほとりで平洲先生と知り合った話をした。みんなびっくりした。それは平洲先生が、

「両国橋のたもとで、落語家や手品師や講釈師などと一緒に講義をなさっていた」

ときいたからである。村人たちは思わず驚きの声をあげながら顔を見あわせた。

そして金子伝五郎から、

「しかし、ほかの落語家や講釈師よりも平洲先生のお話のほうがよほど面白かった」

ときくとまたさらに驚きの声を大きくした。平洲はチラッと伝五郎を見ながら、
（金子さん、なかなかうまいね）
とその司会ぶりに感心した。金子はさらに、
・それがきっかけとなって、平洲先生の嚶鳴館という学塾へ伺い門人にしていただいたこと。
・自分と同じように両国橋のたもとで平洲先生のご講義をきいた、藁科松伯《わらしなしようはく》という米沢藩のお医者さんが感動し、平洲先生を新しく上杉家がお迎えになった若いご養子様の学問の師に選ばれたこと。
・このたびは、米沢城内に新しい学校をつくるために平洲先生が江戸からおみえになったこと。
・しかし、新しいお殿様と平洲先生はその学校をただ米沢城のお侍様のためにだけつくるのではなく、小松村の村人たちも一緒に学べるような学校にしたい、とお考えになったこと。
・そこで、きょうは特別にお願いして、新しくできる学校ではどんなご講義がおこなわれるのかを、平洲先生ご自身にお出かけいただいてみんなに講義願うこと。
とその趣旨を話した。平洲は金子伝五郎が話をしている間中、言葉ははさまな

かったが大きくうなずきどおしだった。つまり、

「金子さんのお話はまったくそのとおりなのですよ」

という肯定のうなずきである。藁科松伯の名はきょう集まった連中もよく知っていた。松伯も米沢藩の医者兼学者だったが自分の塾を米沢の城下町に持っていた。そしてこの塾は農工商にも開放し、武士だけを教えているのではなかった。村人の中でも藁科松伯の塾に通った者もかなりいた。同時に藁科松伯もきょうの平洲のように、この村に実際にきて講義したことが何度もあった。村人は松伯を尊敬していた。平洲はその空気を悟ってこういった。

「江戸でお世話になった藁科先生をわたくしは非常に尊敬しておりました。今度米沢にきたときには親しくお目にかかって、教えを受けられるものと楽しみにして参りました。ところが米沢に来る前に、その藁科先生が亡くなられてしまいました。ほんとうに悲しい思いをしています。ですからあしたは早速藁科先生のお墓にお参りをするつもりです。米沢藩のためにもみなさんのためにも、藁科先生が亡くなったことはほんとうに残念です」

平洲はほんとうにそう思っていたから言葉の端々に真実味が出た。村人たちはシーンとした。これも〝ご当地ソング〟のひとつなのだが、平洲の話しぶりが心の底からほとばしる言葉のしずくなので、村人たちはシーンとした。こういう状

況になれば、平洲がこれから話す話の内容をおそらく百パーセント村人たちは納得する。つまり消化する。平洲が話す言葉の一語一語がきく村人たちの血となり肉となるのだ。

（よし、これなら話の出発ができる）

と平洲は自信を持った。かれは頭の中ですでに筋道を組み立てていた。それは、

「やはり、まわり道をせずに中央突破的に新藩主治憲の改革の趣旨を話そう」

ということである。しかし、

「改革の内容そのものをいきなり告げても、村人たちは戸惑う。きっかけづくりが必要だ」

と考え、

「きっかけの話を、新藩主治憲とその妻幸姫との愛情溢《あふ》れる生活のエピソードから入ろう」

と思い立った。

伝えるべきは感動

平洲は、

「人間が行動を起こす動機はなんといっても感動だ」

と思っていた。いままでの経験でそのことは十分知っていた。人びとが感動をおぼえれば必ずそれが大きな力を生む。つまり感動は人間に大きな行動を起こさせる動機なのだ。その感動を上杉治憲とその妻幸姫との話によってここで起こしてみようと思い立った。

「皆の衆はご存じないかもしれないが、新しいお館《やかた》様の奥様は、身体《からだ》がすこしお悪い。もう十九歳なのにまだ十歳ぐらいのありさまであられる。お知恵のほうも同じようなものだ。したがって、十九歳のお身とはいいながら実際に幼いお身体でしかない」

そう語り出した。村人たちは圧倒された。エッ、と言葉を放ちながらお互いの顔をみた。ショッキングだった。金子伝五郎のような有力者にすれば、こんなこ

とぐらい知っていたにちがいない。しかし当時の常識としては、

「お城で知られたくないことを告げるのはよくない」

という風潮があって、おそらくいまでいう重度身体障害者である幸姫の存在は隠されていたにちがいない。しかし実際には、その身体の悪い幸姫が婿《むこ》を取って上杉家を存続させたのだから、関係筋においては公然の秘密だったろう。しかし一般には知らされない。だからいま平洲がおこなったことはいわば、

「お城が出したくない事実の秘密漏洩《ろうえい》」

なのである。しかし平洲は腹をくっていた。

(もしこのことで罰せられるようなら潔く受ける)

と思っている。幕府に届けた公然の夫婦関係なのだから上杉治憲と幸姫との結婚は、別に隠すことではない。上杉治憲はそういう妻をもらうことによって上杉家の当主になったのだ。ならばそういう事実に新しい殿様である治憲がどのように対応していくのか、ということのほうが人間として大事だ。米沢藩の藩民たちもおそらく治憲の応じ方に深い関心を持つにちがいない。平洲自身もそうだった。そして江戸の藩邸で上杉治憲が妻の幸姫に対する日々の生活ぶりをみていて深く胸に感動をおぼえた。ときに眼に涙が浮かぶことさえあった。それほど治憲の幸姫に対する接し方は立派だった。

細井平洲には『小語』という、漢文で書かれた随筆集がある。しかしこれは単なる感想集ではない。かれが自分で体験した出来事や、あるいは他人からきいた出来事を、

「この話には感動する。しかしこの感動をひとり占めにするのはもったいない。他人にも知らせたい」

という意図で書き綴《かつづ》ったものだ。ほとんどすべてが実際の話だ。つくり話はない。そして平洲自身がその話を経験したときや、他人からきいたときに深い感動をおぼえた。だから平洲が両国橋のたもとで話したこともほとんど内容は事実あったことであり、またその話によって平洲が感動したものばかりだ。『小語』という本は、

「細井平洲の感動集」

なのである。そして細井平洲にとってその感動の中でも最大の体験が、

「上杉治憲のその妻幸に対する日常生活の数々」

であった。治憲とその妻幸の状況を話した後、しばらく言葉を切って平洲は金子伝五郎が用意した講座に歩いていった。講座といっても伝五郎の家の縁側に設けられたものだ。別に机はおいていない。これは平洲の希望によるもので、筵《むしろ》でつくった座布団のようなものが一枚おかれていた。平洲はそこへ座った。縁側の

上からみんなを見渡した。みんなは庭に敷かれた筵の上に座っている。平洲はいった。

「年をとっているのでこんな高いところに座らせられた。許して欲しい。金子さんのご好意によるもので決してみなさんを見下そうという意味ではない。わたしがここに座ったほうが、みなさんのほうからわたしを見やすいからだ。こんなつまらない顔だが、どうか見飽きずに話をきいて欲しい」

　みんなドッと笑った。

「さて、皆の衆」

　平洲はそういってひとあたり聴衆を見渡した。

「いま話したように、お館様の奥様は上杉家の家つき娘ではあられるが、お身体の具合がそういう状況だ。そこで皆の衆がまず考えるのは、そういうお身体でご夫婦の生活ができるのだろうか、ということだろう」

　そうぶつけるとみんなはいっせいにうなずいた。みんなはふつうの人間なのだから、当たり前のことを考える。それはいま平洲がいった、

「ご不自由なお身体でおふたりは夫婦生活ができるのだろうか」

　であろう。平洲はいい切った。

「できない。できるはずがない。そんなことはわかり切っている」

どよめきが起こった。平洲は畳みこむ。

「では、何をなさっていたのか」

平洲の眼が爛々《らんらん》と輝きはじめる。聴衆たちは圧倒された。唾《つば》を飲みこもうとすることさえ控えて平洲の顔を凝視した。視線の集まりを十分に意識した平洲はこう告げた。

「ご不自由な奥様に対し、お館様はじつに誰にもできないようなお慈《いつく》しみを持ってお相手をなさった。たとえば」

ここで平洲は懐から鼻紙を出して器用に折り、鶴《つる》をつくった。その間何もいわない。鮮やかなその手つきに村人たちはホウと声をあげた。びっくりして互いに顔を見あわせる者もいた。学者先生が、まさかこんな鮮やかな手つきで折鶴をつくるとは思わなかったからである。しかし平洲にすればこれははじめてではない。江戸にいたときも折っていた。自分の話を面白くきいてもらうための、いわば小道具のようなものだ。ありあわせのもので話の中に出てくる品物をつくって内容の補完に使う。いわば、

「話の内容を面白くしたり、わかりやすくしたりするための小道具」

なのである。このときに鼻紙でつくった折鶴を宙でとぶように扱いながら、平洲は説明した。

「こういう折鶴を奥様にお渡しになる。すると奥様はお喜びになって、手を打って折鶴をご自身で宙にとばしたりなさる。数が増えると、それを糸で結んで天井からお下げになることなどもあった。そして下で手を打って、折鶴に何か語りかけになる。わたしは毎日そういう光景をこの眼でみた。そして、お館様の奥様に対するおやさしいお気持ちを知って、何度もまぶたを押さえたものです」

最後の感動の部分だけは丁寧な言葉を使った。それは上杉治憲に対する敬愛の念のあらわれでもあった。折鶴の話をひとしきりすると、平洲は次に懐から布を出した。そして器用に折り畳んだ。てるてる坊主《ぼうず》をつくった。

「お館様はときに布で人形をおつくりになった。しかし、男のやることなので、いまわたしがつくったてるてる坊主のようなものをおつくりになる。が、これでお天気占いをするわけではない。お館様は、このお人形をこのように糸でくると、そのまま奥様にお渡しになる。つまり、顔の部分はのっぺらぼうのままで、別に眼鼻口もお描きにならない。ところがこのことはお館様にひとつの目的がありになったのだ」

「………？」

村人たちはまたいっせいに平洲先生の顔をみた。平洲はいった。

「奥様にとって、このお人形はじつに楽しみの品であった。なぜなら、お館様からこの人形を頂戴《ちょうだい》すると、今度は奥様がご自身の手鏡をお使いになって、自分の顔をお映しになる。同時に、お化粧のときにお使いになる眉墨《まゆずみ》や口紅をおとりになって、これでこの人形ののっぺらぼうな顔の部分に眼鼻口をお描きになるのだ。つまり、奥様にとって鏡にお映りになったご自身の顔を、お館様から頂戴した人形におうつしになるお仕事が、いいようのないお喜びであったのだ」

「…………」

この部分はちょっと村人たちには理解できない。しかし平洲はそれでいいと思っている。その次の段階が大事だからだ。平洲はつづける。

「人形に眼鼻口をお描きになった後、奥様は今度はその人形をお館様にお渡しになる。そしてご不自由な言葉でこういう意味のことをおっしゃる。鏡に映ったわたくしの顔を、化粧道具を使ってこちらの人形にうつしました。ですから、この人形はわたくしでございます。ぜひご覧くださいませ、とお告げになる」

「…………」

予想外な話の展開に村人たちは互いに顔を見あわせた。

小松村の人びとは、いまは完全に細井平洲の話に呑《の》みこまれていた。みんな、(そのとき、お館様はどう対応なさったのだろうか)

という一点に関心が集中していた。その気配を十二分に受けながら、平洲はこういった。

「お館様は奥様にこうおっしゃった。この人形はあなたにそっくりです、とな」

どよめきが起こった。村人たちは治憲の反応が、まさかそういうものであると思わなかったからである。平洲は告げた。

「このお館様の言葉に、わたしは深い感動をおぼえました。それはお館様がお感じになったのは、単に身体のご不自由な奥様が人形に顔をお描きになった、ということだけではないと思うからです。お館様が感動なさったのは、身体のご不自由な奥様が、そういう状況を越えて、まだ絵を描こう、という気持ちをお持ちになり、実行なさったことだと思います。お館様はこのとき奥様にこうおっしゃいました。これがほんとうの、『なせばなる　なさねばならぬ何ごとも　ならぬは人のなさぬなりけり』です、と」

反応を噛《か》みしめるように、細井平洲はここで話をやめた。口を閉じ、じっと縁で村人たちを凝視した。村人たちは完全に言葉を失っていた。私語のささやきもない。みんな魂を抜かれたように呆然《ぼうぜん》とした表情で、宙をみつめていた。平洲はその手応《てごた》えをはっきりと感じた。よくいわれることだが、

「話法の達人は、〝間《ま》〟のとり方をよく心得ている」

といわれる。平洲がいま沈黙したのはその〝間〟をとっているのだ。間という

のは空白の時間だ。しかしその時間は決して空っぽではない。話した相手がどういう反応を示すかをこっちがしっかりと受けとめる時間帯なのだ。平洲はいまその時間帯をとっていた。そして、

（村人たちは、わたしの話をよく受けとめてくれた）

と思った。同時に、

（わたし自身が、江戸藩邸で感じたあのお館様と奥様との人形の感激を、この村人たちもそのまま受けとめてくれている）

と思った。それはあげて平洲の話の内容と、話し方にあったのだが、平洲は決して、

「わたしは完璧《かんぺき》だ」

などとは思わない。いつも、

「わたしは死ぬまで修行中の身だ」

と考えている。修行中の身だということは、他人に話す話の内容を吟味し深めることであり、同時に、

「その話をいかに伝えるか」

という話法（話す技術）の修練にもつとめるということだ。その意味で、平洲はいまの言葉を使えば、

「生涯学習者」

だった。そのひたむきな平洲の態度が、初対面の村人たちにも伝わった。しばらくその間の時間をとった後、平洲を村に呼んだ金子伝五郎が静かにきいた。

「お館様の言葉に、奥様はどうなさいましたか？」

「ええ」

平洲はチラッと伝五郎のほうを向いてうなずき、また村人たちに向かってこう語りはじめた。

「身体のご不自由な奥様は、お館様の言葉に涙を落とされました。ポトリポトリと白い涙の玉が頰《ほお》を伝わります。奥様は何度もうなずきながら、自分が顔をお描きになった人形をひしっと抱きしめました。奥様は、難しいことはわからなくても自分の夫であるお館様が、やさしいお兄様だと思っていたのかもしれませんが、褒めてくださった、ということだけはおわかりになったのです。ですから人形をいとおしげに抱いたまま、何度もお館様にうなずかれました。そして眼からは止めどもなく涙が頰を伝いました。それで、お館様がご自身に鞭《むち》打って、本気で改革に向かおうという気持ちをお持ちになったのです」

あの日のことを平洲はよく憶《おぼ》えている。この人形事件があった翌日、上杉治憲は江戸藩邸の武士を全部広間に集めた。手元には妻幸が顔を描いた人形があった。

集まった連中は顔を見あわせた。

「あの人形はなんだ？」

とささやき合った。

「きょうは、折り入ってわたしの話をきいて欲しい」

全員が集まると上杉治憲はそう告げた。治憲の脇《わき》にはもちろん細井平洲も控えていた。治憲はいきなり手元の人形を宙に掲げた。こういった。

「この人形はわたしがつくった。みなも知ってのとおりわたしの妻は身体の具合が十分ではない。身も心も幼女のような幼さを残している。そこでわたしが相手をするときは、こういう人形をつくったり折鶴をつくったりして与えている。昨日、この人形を渡したところが、幸は自分の顔を鏡に映して、口紅や眉墨を使いながらこのように顔を描いた。そして鏡に映った顔をこちらに映し取ったのだから、この人形は自分だと告げた。わたしは感動した。なぜなら、身体の悪い幸が、まだ絵を描こうという気持ちを持ち、その気持ちをみずから掘り出して実行したからだ。わたしは恥ずかしかった。

なぜなら、わたしはこの上杉家にきて以来、たしかに藩の財政事情の悪化を示す書類には目を通した。しかしそれだけだ。書類に出ている赤字額の巨額さに打ちひしがれ、正直にいえば心が萎《な》えていたのである。が、きのう幸がこの人形の顔を描いたことによって、わたしの考えはガラリと変わった。改革は実行しなければ意味がない。実行あるのみだ。それには勇気がいる。

あらゆる壁をぶち破って、わたしはこの改革をすすめたい。幸とのやり取りでわかったことがある。それは、人間の気持ちを高め、そして誰かのためになにかをしようという気にさせるのは、〝愛〟だ。このことをわたしはつくづくと悟った。わたしはまず幸のために改革をおこなう。そしておまえたちのために改革をおこなう。さらに、米沢藩民のために改革をおこなう。頼む、どうか協力して欲しい」

広間にいた連中の中には、思わずウッとうめき声を漏らす者がいた。治憲の純粋なものの受けとめ方と、その改革への動機に感動したのである。

治憲の脇にいた平洲も感動していた。平洲は驚いた。

(小さな人形ひとつで、ここまで考えを煮詰め、それをひとつの信条として家臣に語るような大名が、ほかにいるだろうか)

と思ったからである。平洲は、

(治憲公の気持ちは、まさに仏か神のそれだ)

と思った。とくに治憲がいった、

「改革の動機は愛である」

という宣言は、学者である平洲でさえ考えつかないことだったのでことさらに胸に響いた。平洲は微笑《ほほえ》んだ。それは、

「改革の動機は愛だ」

という宣言は、なにも一米沢藩だけの問題ではない。日本中の大名家にも通ずるし、あるいは個人の生き方にも通ずる。

「個人が自分を変えていく（自己改革の）動機は愛だ」

ということになれば、その個人はまず家族のために、隣人のために、地域のために、そしてもっと発展させれば藩（国）のために、自分を変えていくことになる。これがまさしく、

「修身《しゅうしん》・斉家《せいか》・治国《ちこく》・平天下《へいてんか》」

の道をたどることなのである。

小松村の村人を前にしながら、平洲の話はしだいに高い次元に上っていった。江戸の藩邸で感じたことを平洲はこの場でも語った。

「修身・斉家・治国・平天下」

の過程を語りながら、

「その根本は、なんといっても各家族が心をひとつにすることが大切で、それにはおまえさん方のひとりひとりが自分の身を正しく修《おさ》めることが大切なのだ。自

分の身を正しく修めることが、そのままお館様の改革につながり、そしてこの米沢を豊かにすることにつながっていく。どうかな？」

最後はやさしく微笑んで村人たちのひとりひとりの顔をみた。村人たちはみんな大きくうなずいた。眼が輝いている。平洲先生は最後の締めくくりにこういった。

「だから、いまお城ではじまろうとしている改革は、決してお城のためではないということを知って欲しい。みなさんのためなのだ。ここに集まっているみなさんひとりひとりのために、お館様はそういうご決意をなさったのだ。ただし」

そこで平洲はまた間をとった。ここまでの話が、村人たちにどれだけ浸透したかどうかを見極めるためだ。そして、つづけた。

「改革には、みなさんの力がいるのだ」

きょうの平洲の話は、この最後のひとくだりにあった。つまり現在でいえば、

「改革には、市民参加が必要だ」

ということをいいたかった。そして市民というのはモブ（群集）ではない。誰かがいったことにすぐ、

「そうだ、そうだ」

と共鳴する付和雷同の輩《やから》ではないのだ。

「問題を自分なりに考え、いくつかの解決策を用意して、今度は他人の意見をきながら、自分が選んだ選択肢の中から最良のものを選ぶ」

という、いままでいう〝意見形成能力〟をきちんと持った人間のことをいう。それには、やはり学習しなければダメだ。問題の背景を知るためには情報も集めなければならない。人頼りではダメだ。やはり、

「あらゆる問題を自分のこととして考え、自分なりの結論を出す」

という心構えが必要なのである。細井平洲のいう、

「平天下に至る修身というのは、そういう自分なりの意見形成能力を得る学習をいうのだ」

ということである。おそらくきょう集まった村の人びとは、まだ〝群集《モブ》〟の段階にいる。これを〝公衆〟の域にまで引き上げるには、時間がかかる。しかし少なくともそのきっかけには、できたはずだ。とくに上杉治憲の妻幸姫の人形の話は、わかりやすくまたそれなりの感動を与えたにちがいない。このへん、細井平洲の話の組み立て方はじつに絶妙であり、またそれを巧妙な話法で語るから、理解度も高い。

　余談だがこの日の平洲の話は、かつてアメリカの名大統領だったジョン・F・ケネディが、大統領に就任したときの演説に、

「国民は、国家がなにをなすかだけでなく、国家に対してなにをなしうるかを考えて欲しい」

といったのに似ている。そういえば、ケネディは大統領になったときに、

「新しい松明《たいまつ》に火は灯《とも》された」

ともいった。これも上杉治憲が家臣に求めた、

「ひとりひとりの火種《ひだね》運動」

に似ている。治憲がいうのは、

「家臣のひとりひとりが、自分の胸の松明に火を灯せ」

ということである。さらに悪乗りしていえば、アメリカのオバマ大統領も、その演説の中で、

「イエス・ウィ・キャン」

といった。

「そうだ、われわれはできる」

という意味だろうから、これもまた治憲のいう、

「なせばなる」

の言葉に似ている。愛と信頼の心を持って改革を推しすすめようとするリーダーには、やはり共通するところがある。しかし上杉治憲の発言のほうが、ケネデ

イヤオバマよりも約二百年早い。

「では、みなの衆。わたしの話はこれでお終《しま》い」

十分な手応えを感じた平洲は、そう締めくくった。ほぼ一時間半にわたる講釈であった。みんな満足した。平洲が、

「さあ、こんなところでサボっていないで、それぞれ家に戻って仕事をしなさい」

というとドッと笑い声が起こった。三々五々きょうの感想を語りながら戻っていく村人をみながら、金子伝五郎がいった。

「先生、きょうはほんとうにありがとうございました。わたくしが村人に語りたいことを、先生はみごとなお話でわかりやすく、しかもひとりひとりの胸に大きな感動を残してくださいました。さすがです。お招きした甲斐《かい》があり、お礼の申し上げようもありません」

と丁重に礼をいった。そして、

「中へお入りください。粗食を用意してございますので」

と告げた。平洲は手を振って断わった。

「いや、そんな心配は忘れてください。また、酒を飲みにここへきたわけではありません。わたしは米沢へ戻ります。いや、よい思いをさせていただいた。金子

さん、わたしのほうからお礼を申します」

　そういって平洲は縁から足を伸ばし履物を履いて、庭に降りた。

「先生、お願いがございます」

　金子伝五郎が追いすがるようにしていった。

「はい、なんでしょう」

　気軽く振り向く平洲に金子は、

「これに懲りずに、またいらっしゃってください」

「ぜひ伺いますよ。ほんとうにきょうは気持ちが良かった」

　平洲は庭に立って遠くの山をみた。山には西日がさしかかっていた。高い山にはまだ残雪があった。その白い雪が西日で真っ赤に染まっている。

「わたしの故国尾張（愛知県）には高い山がありません。こういう山を仰ぐと、気持ちが洗われます。夕焼けが美しい」

　平洲はしみじみといった。尾張では日の出・日没時に、いろいろな色に染まる山の姿をみた経験はないが、諸国を歩いた平洲はあちこちの土地で、こういう光景を目にしてきた。日の出時の山が染まるのも美しいが、日没時の山も美しい。いま赤い山は、すぐ紫色に変わり、やがて黒に変わる。その変化が目まぐるしく片時も落ち着いてはいない。したがって、一瞬山から眼を逸《そ》らせば、山は別な色に染まってしまう。山の色の変化を確実に眼に収めようとすれば、じっと山を見続けなければならない。そんなこともいままでの経験から平洲は知っていた。

「金子さん、あなたも、また米沢へおいでくださいな」

平洲はそういって庭から出ていった。生垣《いけがき》のあるところで振り返り、宙で手を振った。金子伝五郎は深々と頭を下げた。

小松村の講釈がすんでから二、三日後、江戸以来顔なじみの佐藤文四郎がやってきた。佐藤文四郎は江戸の藩邸以来上杉治憲の近習役《きんじゆやく》をつとめている。

「おや、佐藤さん、お珍しい」

平洲先生は顔をほころばせた。先生は佐藤文四郎が大好きだ。完全無欠にみえる上杉治憲にしても、時々失敗をする。そのときの佐藤文四郎の怒りは凄《すさ》まじい。まるで自分が主人であるかのように治憲を叱《しか》りつける。文四郎に叱られるところがまた面白いことに治憲は首を縮めてかしこまる。佐藤文四郎はいうところの、

「諫争《かんそう》の臣」

であった。そして文四郎がよく使う言葉が、

「細井平洲先生のお教えをお忘れですか?」

というものだ。治憲が首を縮めてかしこまるのはそのためである。なんといっても治憲にとって細井平洲は恩師であり、また人生の先導者だ。平洲の名を出さ

れるとなにもいい返せなくなる。それを巧妙に佐藤文四郎は利用するのだ。

「きょうはなんですか？」

そうきく平洲に文四郎はいった。

「先生は自然がお好きですか？」

「好きですよ。わたしも自然の一部ですからね」

「イヤー、恐れいったな。そうですか、先生も自然の一部ですか」

「そうですよ。佐藤さんも自然の一部ですよ。ですから、人間の心の底にはいつも自然に帰りたい、という願いがあるのですよ。自然を粗末にする人は、人間ではありません」

「驚いたな。きた早々お説教だ。でも、ほんとうにそうですね。そこでです」

文四郎は本題に入った。

「お館様が、ちかく大平《おおだいら》の滝にお出かけになります。先生もご一緒にいかがですかというお誘いです」

「ほう、大平の滝ですか」

「ご存じですか」

「いや、知りません。ただ宿舎の松桜館で、神保さんから伺ったことがあります。夜寝ているときに、毎晩のように雷鳴のような音がするものですから気になりました。そこで神保さんに伺うと、あれは大平の滝の音なのです、というお答えでした。それほど大きな音を立てる滝が、この米沢の近くにあるということが不思議で、ずっと気にはなっていました」

「そうですか、そんなことがおありでしたか。それはどうもすみませんでした」

謝る文四郎に平洲は笑い出した。

「滝の音で、なにも佐藤さんが詫《わ》びる必要はありませんよ。お館様はそこへお出かけになるのですか？」

「そうです。米沢にお着きになった先生に、まだろくなおもてなしもできないので、せめて滝の風景でも味わっていただこうというお考えです。ご同行願えますか？」

「喜んでお供をさせていただきますよ」

「先生はお年も召されているし、お身体もそれほどご丈夫ではなさそうですから、お館様は当日は駕籠《かご》を用意すると申しております」

「やめてください」

平洲は憤然としたフリをした。

「佐藤さん、わたしはまだ四十四歳ですよ。そんな老人ではありません。また、板谷峠を越えてこの米沢へも歩いてやってきました。足もピンピンしています。

大丈夫です。徒歩でお供します」

「わかりました。そう申し上げます。殿が徒歩でお歩きになるのに、先生が駕籠でお供をするというのはやっぱり収まりが悪いですよね。いや、安心しました」

佐藤は大きく胸を突いて自分で笑い出した。平洲も苦笑した。しかし佐藤は去らない。まだ話があるようだ。

「なんですか？　遠慮せずに話しなさい」

平洲に促されて文四郎はこんなことをいい出した。

「これは内緒ですが」

「はい」

「先生には、遊山《ゆさん》ということで、大平の滝をお楽しみいただこうというお館様の気持ちですが、じつを申せば、お館様は巡回をなさるおつもりなのですよ」

「巡回と申されると？」

「民情視察です。しかしいままでの視察は、おいでになる地域に事前に連絡し、ゴミひとつつないように清掃させ、また礼装した村役人ほかが仰々しく出迎えをする、また供の者には飲食の大盤振舞《おおばんぶるまい》をする、また土産《みやげ》を持たせるなどという悪習がありました。お館様はこういうことが大嫌いです。ですから、大平の村にもまだお館様がおいでになるという連絡はしておりません。いわばお忍びで、ありのまま村の姿をご覧になりたいのがお館様のお気持ちです。しかし、お館様だけご視察にお出かけになるといえば、村のほうも緊張します。そこでお館様は、恩師の細井先生の遊山に同行する、という形をおとりになりたいのです」

「………」

平洲は黙った。佐藤文四郎のいうことはよくわかる。しかし上杉治憲が、あの若さでそこまで心遣いをするのか、と驚いたのである。もちろん、新しく藩主になった殿様が、自分の領地内を歩くという巡視はなにも上杉治憲だけではない。ほかの大名もやっている。が、そのやり方はいま文四郎が、「従来の悪習」といった方法がとられていることはどこも同じだ。したがって、巡視そのものはおざなりで、形式的なものに終わってしまう。たとえ巡視にいった殿様が領民に質問したり、意見具申を受けとめるとしても、それは事前に脚本が書かれ、担当役人から、

「このとおりしゃべれよ。余計なことはいうな」

と口止めされ、あるいは脚本のセリフを暗記させられている者が多い。完全な〝ヤラセ〟なのである。上杉治憲はそんなことはしないという。いきなり出かけていって、ありのままを自分の眼で確かめたいという。しかし細井平洲が感心したのは、文四郎がいった、

「大平の滝のある地域をおたずねになる」

という一言だ。宿舎の松桜館でまめまめしく平洲の世話をしてくれる神保綱忠の話では、

「毎晩、雷鳴のような音を立てる大平の滝も、結構山の奥にありますよ」

ということだ。というのは、その地域は僻地《へきち》といっていい。治憲の巡視計画は、

「まず、僻地からたずねよう」

ということなのである。

筆者は血液型がB型のせいか、躁《そう》と鬱《うつ》の落差が激しい。いま幸福かなと思うとすぐ不幸になってしまう。が、その不幸の淵《ふち》から立ち上がるときにいつも思い出すのが、胸の箱にしまってある一篇《いっぺん》の詩だ。サミュエル・ウルマンの〝青春の詩〟である。意訳すれば、

「青春というのは、人間のある一時期をいうのではない。その人が、いつも好奇心と情熱さえ失わなければ、常に青春なのである」

ということだろうか。この考え方は大いに励ましになる。胸の箱に入っているもうひとつの言葉は、コンスタンチン・ゲオルギウというルーマニア人作家の次の言葉だ。

「たとえ世界の終末があしたであろうとも、わたしはきょうリンゴの木を植え

る」

というもので、絶望状況にある淵《ふち》に立っても、決して人生を投げ出すようなことはしない。むしろ他人のためにせっせとリンゴづくりにいそしむ、という考えだ。このふたつの考えは、いまのような世の中で人間が持っていて必ず役に立つものだと思っている。

「不便な土地からみて歩こう」

という上杉治憲の姿勢は、まさにこの好奇心と情熱と、そして民のためにおいしいリンゴをつくり続けようとするヒューマニズムのあらわれだ。この話を佐藤文四郎からきいた平洲は、大いに感激した。だから、

「そういうご巡視には、ぜひともお供をしなければならない」

と思った。それは平洲が治憲が十四歳のときからさんざん教えこんできた、

「治者《ちしや》は民の父母でなければならない」

ということの実践だったからである。しかも恩師の平洲には、

「物見遊山に出かけます。ごいっしょしませんか」

といういい方をする。物見遊山という名目を立てて、その実、民情視察をするという上杉治憲の段取りのつけ方に、いまさらながら平洲は感心する。つまり、

（お若いのに、そこまで人間巧者であられる）

と感ずるからだ。そして、

（こういう知恵は、わたしの教えから学んだことではない。お館様ご自身がご発想になったことだ。素晴らしい）

と思う。

細井平洲が上杉治憲の供をして、大平の滝をたずねたのは、明和八（一七七一）年六月二十七日のことだという。佐藤文四郎からは、

「当日は、先生はごゆっくりお出かけください。お館様は気になさいませんから」

といわれたがそうはいかない。その日の朝、平洲はかなり早いうちに出発した。小川厚甫《おがわこうほ》（名は源左衛門《げんざえもん》。上杉治憲の近習であり、五十騎組に属していた。禄高《ろくだか》は八十石である）という武士が案内してくれることになった。小川は藩主から命ぜられて平洲の日通い門人になっていた。したがって、いままで何度も面識があり気心も知れていた。小川は、

「これを用意してまいりました」

といって一本の杖《つえ》を渡した。平洲は手に取り、握り具合を確かめた。非常に使いやすい。

「小川君、これはよく使いこんだ杖だね」

「はい。亡くなった父が愛していた杖です。どうかお使いください」

「そんな大切な杖を悪いね」

しかし平洲は小川の好意に甘えて使うことにした。

大平の滝をみにいくというのが目的だ。大平の滝は大平村というところにある。米沢城の東門前を通り過ぎ、南の三《さん》の丸口《まるぐち》にさしかかる。番所に役人がいたので、

「殿様はお通りになりましたか?」

ときくと、まだですと番人は答えた。そこで平洲は安心し、番所脇の板の橋を渡った。この橋から南は郊外になる。一里《り》あまり(約四キロ以上)歩くと分かれ道になった。右にいけば、檜原峠《ひばらとうげ》を越えて会津に至る。左へ進んで笹野町《ささのまち》へ向かった。新町を通る。新町の西のほうを指さしながら小川が説明した。

「あのへんを南原《みなみはら》と呼んでおります。関ヶ原の合戦《かっせん》に敗れた上杉家が、会津百二十万石を没収され、この米沢にやってきました。米沢は直江兼続殿の三十万石の支配地だったので、上杉家としては四分の一に収入が減ったことになります。そこで直江殿は、会津から移ってきた六千人の武士のうち、かなりの人数を城下の外にある原に住まわせ、農業をおこなって食料を自足させました。このとき原に住みつくようになった武士を〝原衆《はらしゅう》〟と呼んでいます。しかし、いま住んでいる原衆はみんな屈託がなく、明るいですよ」

そう告げた。原衆の住む道をたどっていくと、すでに起きている原衆たちが次々と出てきては挨拶《あいさつ》した。顔が赤い。

「昨夜の酒がまだ残っているようですね」

小川がからかった。原衆たちは顔を見合わせてハッハハと大きく笑った。そして、頭をかきながら、

「たった三杯しか飲まないのに、まだ残っているのですよ。仕事になるかな」

と屈託なく笑った。平洲にも頭を下げ、

「ご苦労様です」

と挨拶した。平洲も礼を返した。

大洞村《おおほらむら》に着いた。短い行程だったが、平洲の詩心が刺激され、すでに頭の中に一篇の詩が出来上がっていた。近くの森に神社があるのでそれをみた平洲は、

「小川さん、あのお宮でお館様を待ちましょう」

といった。小川は、

「お疲れになりましたか？」

とからかうようにいった。平洲が病弱なことを知っているからだ。平洲は首を横に振った。

「いや、あまり先にいくとわたしのほうが迷子になりそうなので、あのお宮でお

待ちしましょう」

そういって平洲は、矢立《やた》てから筆を出し、持ってきた紙にサラサラとつくったばかりの詩を書いた。そして小さく折り畳むと、近くの木の枝に結びつけた。

「お館様の目に止まりますかな」

小川がそういう。平洲はさあと微笑を浮かべ、

「お目に止まるといいですね。目印ですよ」

そういった。というのは、平洲が休もうという神社はちょっと道からはずれたところにあった。だから上杉治憲が先を急いで道をどんどん歩いていけば、見落としてしまうかもしれない。

それで、自分のつくった詩を書いた紙を縒《こより》のようにして、枝に結びつけたのである。小川のほかに荷物を持つ供がいた。道に立って、いま来たほうを凝視していたがやがて、

「おみえになりましたよ！」

と大声を上げた。治憲一行がやってきた。平洲がお宮の境内《けいだい》から出て迎えると、治憲は道をそれてこっちへ歩いてきた。手に一本の木の枝を握っている。平洲はすぐ気がついた。

（さっき、わたしが詩を書いた紙を結びつけていた枝だ）

ということは、治憲は平洲がつくった目印に気がついたのだ。枝を宙で振った。ニコニコ笑っている。平洲が、

「お館様、早くからご苦労様でございます」

と挨拶すると、治憲はその枝を宙で振りながら、

「とんでもない。先生のほうこそ、早起きなさってご苦労様です。お迎えいたみ入ります」

と丁重に挨拶した。そして枝から解《ほど》いた詩の紙をみせながら、

「早速、詩をおつくりになりましたな。この詩によると砂や小石のように役に立たない者は、後から来るという意味でございますかな?」

とからかい半分の笑いを浮かべながらきいた。平洲は首を横に振った。

「とんでもない。邪魔者が先にいくという意味でございますよ」

ふたりは機智《きち》に満ちた会話を交わしてハッハハと高く笑い合った。

大平村に着いた。吾妻山《あづまさん》の西北の境に当たる。村の東方・南方・西方の三方は、どこを見ても岩山だ。村の南北は長い。そして西の果てを流れる谷川は、ふたつの山の間から流れ出ていた。北方は米沢の城下の東に流れ出て、松川となる。西北を流れる川は、藩の境を越えて東北に流れ最上川《もがみがわ》になる。最上川はやがて日本海に注ぐ。

「きょうは、お館様に男たちによる、淵での鱒《ます》とりをご覧に入れます」

迎えに出た名主《なぬし》がそういった。

「ほう、それは」

若い治憲はたちまち喜びの色を眼に浮かべた。

「淵というのは？」

ときく。名主は、

「ここからかなり崖《がけ》を下ります。危のうございますからお気をつけください」

そう告げた。そして鱒をとるという九人の男たちを紹介した。男たちの年齢はバラバラだ。老人もいれば若者もいる。平洲も興味を持った。名主の説明によると、九人の男たちはそれぞれ淵にとびこんで、網などの道具を使わずに手づかみで鱒をとらえてくるという。鱒というのは渓流魚で敏感な魚だ。素早い。それを手づかみにするというのだから、この男たちはよほどそういう修練を積んでいるのだろう。平洲も子どものような気持ちになって、その光景を見るのが楽しみになった。

しかし、平洲はこのとき微妙なことを感じた。それは、名主や九人の男たちが、治憲に対する態度と、平洲に対する態度をはっきり分けていたことである。治憲に対しては、心から尊敬の念を持ち、また親愛の情をあらわしている。しかし平洲に対しては、挨拶はしたがその眼の底は冷たく、好感を持っている気配はなかった。むしろ、嫌悪の情があらわだった。平洲は愕然《がくぜん》とした。背中に水を浴びせられたような思いがした。

（なぜだ？）

理不尽な扱いを受けたような気がして、平洲は心の中にわだかまりを持った。しこりが残った。そしてそのしこりは、この治憲の遊山と称する視察の間中つづいた。決して愉快なものではない。

名主がいったとおり、淵に降りていく道は非常に険しかった。間に谷川があって、それを渡るのに吊《つ》り橋《ばし》が架かっていた。吊り橋は、二本の木を横転しにして並べ、その間を樹木の細い枝を蔓《つる》でしばって、歩けるようにしたものだ。だから、一歩歩くたびに橋全体がグラグラ揺れた。平洲は吊り橋の縁《ふち》にしっかりつかまりながら、おっかなびっくり渡っていった。名主も九人の男たちもそんな平洲に手を貸そうとはしない。みんな治憲にかかりきりだ。治憲は時々振り返って、

「先生、大丈夫ですか？」

ときく。そのたびに名主や九人の男は、怪訝《けげん》な表情になり互いに顔を見あわせた。

（お館様が、なぜこの学者先生をそれほど大切になさるのだろうか）

という疑問を持つからである。名主や九人の男たちにとって、細井平洲の存在は眼中になかった。これほど無視された経験はいままでの平洲にはない。同行する小川も気にした。気にはしたがしかし、

「先生、山里の住民は素朴なのです。どうかお気になさらないでください」

と慰めた。

「気にはしていませんよ。あなたのいうとおり、山里に住んでいれば、学者などに用はありませんからね」

「いや、そうではありません。この山里に、かつてひとりの学者がしばらく滞在したことがあるのです。おそらく、ろくなことをしなかったのでしょう。酒を飲んで酔っぱらっては、大言壮語をしていたのです。ものすごく印象が悪く、以来この山里の人びとは学者というと、信用しなくなったのです。先生も学者なので、昔の悪い印象がまだ忘れられないのでしょう。お気になさらないでください」

小川はそんな説明をした。しかしどこか取ってつけたような説明で、平洲にはピンとこない。

(小川さんは、わたしを慰めるためにそんなつくり話をしているのではないか?)

と疑った。事実、大平村の村民たちは、平洲に対して憎しみとか恨みとかそん

な感じは微塵《みじん》も持っていない。はじめから平洲の存在自体を意識していなかった。かれらにとって必要なのは、藩主である上杉治憲ただひとりなのだ。

「きょうおみえになるお館様には精一杯おもてなしをしよう。同行してくるほかの人はわれわれとはなんの関係もない。得にもならない」

という直線的な考えに則《のっと》っていた。だから細井平洲が上杉治憲の恩師であろうとなかろうと、そんなことは大平村の住民にとってはなんの関係もなかった。

「大切なのはお館様だけだ」

という一点集中的な考えに立っていたのである。悪意はない。しかし平洲にすればあまり気分はよくなかった。

険しい斜面を下っていくうちに、しかし平洲は考えを変えた。つまり、

「われわれにとって必要なのはお館様だけだ」

という村人の考えにはかなりの説得性がある。自分の存在は、いってみれば上杉治憲の内部の問題であって、平洲は治憲の一部であるといっていい。治憲がよい政治をおこなうために、どんな偉い学者の教えを受けようと、そんなことはこの大平村の住民にかかわりはまったくないのだ。

「藩主に対する感情と、その付随物である学者に対する感情との温度差」を否応《いやおう》なくこの日、細井平洲は体験させられたのである。

村人たちの感情は素朴なものであり、なんの文句のつけようもない。しかし、自分に対する扱いと、恩師に対する扱いに差があることを、上杉治憲も敏感に感じ取っていた。しかし手が出せない。治憲は、

（遊山などといって、先生にご同行を願ったが、これは裏目に出た。かえって逆効果になった）

と反省していた。自分は若い、しかし平洲先生はかなりのお年になる、どれほどお心に傷を負ったろうか。やさしい心根の治憲は自分が受けた傷のように苦痛を嚙みしめた。だから吊り橋を渡るとき、治憲のことだけを案ずる名主や村人たちの好意を受けつつも、何度も振り返ってはいたわりの眼で細井平洲をみつめたのである。その治憲の気持ちは平洲にもよくわかった。だから、

「どうかお気になさらないでください。これが村人たちのありのままの姿なのです」

という意味を眼にこめて見返した。

平洲先生の自戒

淵《ふち》というのは、大きな滝の下につくられた自然の池のような場所だった。九人の男たちはそれぞれここで着物を脱いだ。先頭に立った六十過ぎの老人が治憲の前にきて挨拶《あいさつ》した。

「青木善助と申します」

治憲はうなずいた。そしてしげしげと青木善助という男の顔をみつめ、頰《ほお》にひと筋大きな傷あとがあるのを発見した。

「その傷は？」

ときいた。青木善助はカラカラと笑って、

「むかし、熊《くま》と取っ組み合って引っかかれた傷のあとでございます」

とこともなげに笑っていった。治憲は微笑《ほほえ》んだ。

「そうか、それはさぞかし痛かったであろう」

「痛いのなんのって、ほんとうにあのときは熊に食い殺されるかと思いました」

「持っていた短刀で喉《のど》を引き裂き、しとめました」

「で熊は?」

「すごいな」

治憲は心から感嘆して笑った。

「では、鱒《ます》のつかみ取りをご覧に入れましょう」

名主《なぬし》はそういって男たちに合図した。九人の男たちは滝つぼの上にそそり立つ崖《がけ》の上に一列に並んだ。そして両手を高く宙に突き上げると、

「エーイ、オー!」

と共通の気合をかけて、いっせいにとびこんだ。滝つぼに次々と水しぶきが上がった。そしていったん沈んだ男たちは、次々と淵に頭を出した。

「水試《みずだめ》しです」

名主が説明した。

「きょうの水温がどの程度なのか、鱒をとる間潜っていることが可能かどうか、確かめているのです。それがすんでから、実際に鱒をとります」

いき届いた説明をした。上がってきた男たちは、今度は用意してあった網を持ってまたとびこんだ。

「あれで淵の出口を塞《ふさ》ぐのです。鱒が逃げないようにいたします」

名主の説明はつづく。もちろんその説明は、平洲がさっき感じたように治憲だけにするもので、名主は平洲のほうは見向きもしない。慣れはしたが、決していい気分ではない。人間は誰でも、その場にいるのに無視されればやはり気にする。しかし平洲は、

(それは、おまえ自身が思い上がっているからだ)

と自分にいいきかせた。

(いまのわたしは、決してお館《やかた》様と同格ではない。そのことをしっかり思い知るべきだ)

と心に刻んだ。藩主と、藩主に学問を教える学者の立場の差を、平洲はこの素朴な山奥の村人たちによってはっきりと教えられたのである。この発見は平洲にとって新しい体験だった。平洲は、

(きょうの体験を、自分は忘れてはいけない。それが学者の分限《ぶんげん》であり、また人間としての埒《らち》というものだ)

と感じていた。最初不快に思った村人たちの反応も、いまは平洲自身に対する教訓に変わっていた。平洲は上杉治憲の学師ではあるが、村人たちの学師ではない。だから藩主の治憲がいくら村人たちに対して、

「ここにおられる細井平洲先生は、わたしにとってかけがえのない学問の先生な

のだ」

と説明しても、村人たちは別にそれに感動をおぼえる気配はまったくない。前にも書いたように村人たちにとって大切なのは、上杉治憲だけなのである。おそらく平洲に対しては、

「余計者がなぜいっしょについてきたのだ？」

という感じを持っているかもしれない。

平洲は自然が好きだ。自分も自然の一部だと思っているから、こういう雄大な自然の中に入りこむと、なにか生命《いのち》のふるさとに戻ってきたような気がする。そういう感じ方をすると、平洲は村人たちの自分への扱いがかなり冷淡であることが気にならなくなってきた。

(そんなことを気にするほうがおかしい)

と思った。

(こんな雄大な自然のもてなしは、滅多に味わえない。少なくとも自分の故郷である尾張ではなかなか得られない光景だ。ならば、いっさいの思いを捨てて自然に帰り、自然の中に浸って楽しもう)

という気になった。そうなると、周辺の光景の受けとめ方や、あるいは男たちの鱒とりの努力も違ったものにみえてくる。

淵の出口に網を張った男たちは、今度は思い思いにとびこんでは鱒をとり、水から上がってきては治憲に献上した。治憲の前では、まだ生きている鱒がピンピンと勢いよく跳ねつづけた。治憲は微笑んで鱒の群れをみつめていた。平洲も治憲の脇《わき》で、天然の鱒が跳ね、やがて息絶えるのを興味深くみつめていた。

男のひとりが、大きな石を抱えてとびこんでいった。それを目にした治憲が、

「古書の教えでは、石を抱いて水にとびこむのは愚かな者だという話がありましたが、こういう使い方もあるのですね」

と平洲先生にいった。治憲のほうが気を遣っていた。

（きょうの村人の扱いで、平洲先生が落ちこんでおられるのではないか）

と気にしていたのである。しかし平洲はもう気分を変えていた。いっさいの夾雑物《きょうざつぶつ》的な思いを捨てて、明るい表情でこう答えた。

「やはり、自然の中で生きる人びとには、それなりの知恵があるのですね。きょうは大いに学びました」

そう告げた。治憲も大きくうなずいた。

名主の指示で、男の何人かが治憲に献じた鱒を刺身にした。

「おいしゅうございますよ。どうぞお召し上がりください」

そうすすめた。治憲は箸《はし》をつけた。そして脇にいた近習《きんじゅ》に、

「例の盃を出せ」

と命じた。近習が持ってきた盃を出した。治憲はそれをまず名主に持たせ、これも用意してきた瓢簞《ひょうたん》から酒を注《つ》いだ。治憲はこういう際は禁酒令をゆるめて対応した。

「その盃は春日杯《かすがはい》といってな、上杉家に代々伝わってきた大切な盃だ。きょうこの村にくるために持ってきた。おまえたちの魚とりがみごとだったので、その盃で酒を与えよう」

上杉治憲はそういった。

「これは、恐れ入ります」

大平村の名主は恐縮しながらもよろこんだ。そして治憲がついだ酒を飲み干した。名主は盃を次々と九人の男たちにまわした。そして治憲から与えられた瓢簞から酒をついでまわった。男たちも感動した。よろこびを満面に浮かべながら春日杯で酒を飲んだ。かれらにとっては、これがなによりの褒美だったのである。

男たちは枯枝で火を焚《た》き、枝にさした鱒をその火で焼いた。やがて魚が焼けた。

「お館様、さっきとった鱒を焼きました。召し上がりますか？」

燃え立つ火の脇で顔を真っ赤にしながらそうきいた。かれらはいまは完全に治憲を自分たちの仲間にしていた。身分の差はあっても、同じ人間同士だという一

種の連帯感が湧《わ》いていた。治憲は素直な人物だ。だからこういう心の交流が好きだ。かれは村人たちを、

「無礼者め」

などと叱《しか》るようなことは絶対にしない。若いせいもある。だからかれ自身も、この自然と人びとの温かい心の醸し出す環境の中に、完全に溶けこんでいた。自分では淵にとびこまなかったが、心は常に男たちとともに行動した。男たちといっしょに淵の底に潜っては、〝抱き鯉《ごい》〟のやり方で、鱒をしっかりと抱いて水から上がってくる。治憲はこの淵における鱒づかみを、自分のこととして体感していた。

こういう光景をみていて、細井平洲はフッと一抹《いちまつ》の孤独感を感じた。淋《さび》しかった。しかしその淋しさは快い。平洲は治憲をうらやましいと思った。別に治憲が藩主であることに対してではない。そういう隔てのない心ですぐ村人たちの心に同化し、かれらの喜びと悲しみを、すぐ自分のものにできる能力に対してである。しかしそれは平洲が教えたことだ。

「治者《ちしや》は常に民の父母でなければならない」

というのが平洲の政治信条だ。治憲はそれを守っている。そしてその効果がいまはっきりとあらわれている。平洲は上杉治憲のそういう素直さに胸を打たれた

のである。

（自分には、果たしてお館様のような素直な心があるだろうか？）

そんな反省心も湧く。同時にまた、

（これはお館様独特のよろこびだ。わたしには絶対にお館様の立場には立てない。つまり、お館様のすぐ間近にいながらも、やはりお館様と自分の間にはかなりの隔たりがあるのだ）

と感じた。その隔たりに対し、村人たちは正直な反応を示した。きょうの旅では、あきらかに治憲に対する村人の感情と扱いは、平洲に対するそれとは違う。平洲はそのことをしっかりと嚙《か》みしめた。

（この経験が、きょうの旅の貴重な土産《みやげ》なのだ）

と思った。そして学者であるかれは、

（これが人間の宿命であり分《ぶん》なのだろう）

と感じた。

春日杯による酒のまわし飲みがこの日の別れのきっかけになった。九人が酒を飲み終わり、春日杯が治憲の手元に戻ってくると、それを家臣に渡し治憲は立ち上がった。そして、

「きょうは世話になった。名残惜《なごりお》しいが城に戻る」

と告げた。名残を惜しむ村人たちに送られながら、治憲一行は大平村をあとにした。

「細井先生、お楽しみいただけましたか？」

歩きながら治憲が平洲にきいた。平洲は大きくうなずいた。

「最高でございました。このような喜びはいままで味わったことがございません」

「それはなによりでうれしゅうございます。わたくしも最高でした」

治憲はそういった。しかし平洲は治憲の声音の底に、

「先生、どうかきょうの村人の非礼はお忘れください」

という意味がこめられているような気がした。平洲は、

（きょうは若いお館様にすっかりいたわっていただいてしまった）

と思い、フッと胸が熱くなり涙がこみ上げそうになった。

道の先に米沢城からきた武士たちが、治憲のために馬を用意して待っていた。

それを見ると治憲は、

「先生、わたくしはあそこから馬に乗ります。先生には駕籠《かご》を用意してございますから、どうぞご利用ください」

そういった。平洲は丁寧に頭を下げ、

「ありがとうございます。では、お言葉に甘え、お駕籠を頂戴《ちょうだい》いたします」

と今朝《けさ》とは違って素直に応じた。

あたりの夕焼けが美しい。この日の平洲の表現によれば、

「夕焼けが松の木に反射して、木という木はどれもこれも赤いサンゴのように美しかった。大平の滝あたりを振り返ってみると、夕暮れの雲が色を失って白くもやがたちこめていた。大洞村に着くころには、遠くをお殿様が馬を降りて、ひざまずく家臣に囲まれていらっしゃるのがみえた」

とある。当日の光景がほんとうに眼にみえるような描写である。さらに、

「山の端の日は沈もうとし、野の草の葉末には白露がやどり、清い風がさっと吹いてきて、もう秋を思わせた。野の景色はいい尽くすことができぬほどさびしい。同行した小川君が、駕籠かきを励まして自分から歌い出して気力を奮い立たせている。その歌の土地のなまりがおかしかった」

と書いている。美しい紀行文だ。どこへいっても、すぐ柔軟にその自然の中に溶けこむ平洲の、やさしい心がそのまま文字となってあらわれている。

細井平洲が上杉治憲の供をして、大平村の滝に遊んだのは明和八（一七七一）年六月二十七日のことである。平洲はその後、明和九年三月十日まで米沢に滞在する。明和九年が、世の人びとから、

「まったくめいわ（明和）く（九）な年だ」

と年号が嫌われたので、十一月に改元された。新しい年号は「安永《あんえい》」というものだ。安永というのは、

「世の中が安泰に長くつづくように」

という民衆の願いがこめられていたのだろう。まったく明和八年、九年は自然災害や人災が多かった。災難に襲われた人びとは疲れ果てていた。

米沢地方もその例外ではなかった。とくに雨が降らず、日照りが長くつづいた。明和八年六月五日に、上杉治憲はみずから先に立って雨乞《あまご》いをした。平洲も立ち会った。驚いたことに、治憲の雨乞いによって突然大雨が降りはじめたのである。これには平洲も一驚した。雨の中に立って手を合わせた治憲の姿が、まるでこの世ならぬものに思えた。

そのころから米沢城内の武士たちの間に、治憲の真情が伝わり、一部の者は身分の高下《こうげ》にかかわらず農地に出て鍬《くわ》を振るった。また、破損した大橋の修理に、かなりの武士がみずから率先して労務に携わる、などのことがおこなわれた。まさに、

「君臣民の三者が一体」

となって、藩の復興につとめていたのである。平洲は感動をもってこれらの光

景をみ、友人に細かく手紙を書いている。八月三日に平洲は米沢城に召し出され、御書院《ごしょいん》で治憲に拝謁《はいえつ》した。これが米沢へきて上杉治憲との正式な謁見であった。このとき治憲がいった。

「細井先生、今度はお供ができませんが、松島《まつしま》へおいでになってはいかがですか」

「松島へ？」

平洲はびっくりした。そこで冗談交じりにこういった。

「そうなりますと、わたしは学問のために米沢に参ったのではなく、まるで物見《ものみ》遊山《ゆさん》にきたようになりますな」

「それでよろしいのです」

治憲は微笑みながらそう応じた。平洲はフッとその治憲のもののいい方に、言外の意味があることを悟った。しかし治憲の真意は、そのときつかめなかった。

平洲は八月九日から八月二十二日にかけて、松島に遊んだ。供は栗田寛《くりたかん》・登坂《とさか》量《はかる》・藁科松玄《わらしなしょうげん》それに旧知の小松村の村役人金子伝五郎である。さらに召使いの虎《とら》と文のふたりが従った。いきは北へ上り、上山《かみのやま》を経て仙台に達し、塩釜《しおがま》から松島にはいった。滞留は三日間である。松島の月を賞味した。帰りは福島に出て板谷峠を越え米沢に戻った。

宿舎に戻ると、滞在中の面倒の責任者である神保綱忠がすぐやってきていた。

「いかがでございましたか？」

「お陰様で美しい松島の月を堪能《たんのう》いたしました。しかし神保殿」

「はい」

「わたしばかり楽しませていただいてなんとも申し訳ない。いったい、お館様はどういうおつもりなのでしょうか？」

「ご恩報じですよ」

「はい？」

「お館様は、ご幼少のころから先生に学業を教えていただきました。先生のお教えは、いまほとんど血肉となってお館様を支えていらっしゃいます。とくに、米沢にお入りになるときにいただいた、勇なるかな、勇なるかなのお言葉を常に口にしておいでです。お館様にとって、細井先生のお教えはご自身を支える大きな柱になっておられます。その先生にせめて多少なりともご恩をお返ししたい、というのがお館様のお気持ちでございましょう」

「ほんとうにそうですか？」

平洲はやや眼を鋭くして神保をじっと見た。その視線の鋭さに神保綱忠は怯《ひる》んだ。視線をすぐ逸《そ》らした。平洲は敏感に、

「なにかある」

と感じた。しかしそんな詮索《せんさく》をしてもつまらない。同時に、詮索をして真実を知ることは、かえって上杉治憲を苦しめることになるかもしれない。平洲も苦労人だ。そこで神保綱忠への追及はほどほどにして、

「いや、神保殿のいうとおりでしょう。このたびは、お館様のご好意を素直にお受けいたします。よろしく申し上げてください」

「かしこまりました」

うなずく神保綱忠の姿に、どこかホッとする色があるのを平洲はみのがさなかった。

この平洲の予感は当たっている。それはこのころ米沢城内では、上杉治憲の立場はかなりきわどいところに立っていた。したがって、そういう状況の中では、せっかく江戸から呼んだ細井平洲に、藩校の設立を急ぎ、藩士に講義をおこなってもらうことがかなり難しかった。そのために上杉治憲は、

「この際、細井先生に米沢城内の醜い現状をおみせしてはならぬ」

とみずから心に決したのである。そこで、大平村の滝見物や、さらには、

「松島へお出かけください」

と、生々しい現場から平洲を退避させたのだ。

そんなとき、二月二十九日に江戸で大火が発生した。煽《あお》りを食らって米沢藩の上屋敷である桜田邸と中屋敷である麻布《あざぶ》邸が焼失した。白金《しろかね》にあった下屋敷だけが災難をまぬかれた。この報が三月三日に米沢に到着した。治憲は江戸からとんできた使者から詳しく報告をきいた。きき終わると、

「で、細井先生のお宅はどうなのか？」

ときいた。使者はびっくりした。思わず不審の色を表情に浮かべ、

「そこまでは、調べてまいりませんでした」

と応じた。眼の底に、

「上杉家の屋敷が焼失していることで精一杯なのに、なぜ一学者の家のことなど調べてまいりましょうか」

という抗議の色が浮かんでいた。治憲はカッとした。

「細井先生はわたしの師である。わたしの師であるということは米沢藩上杉家の師である。その師の家の消息を調べずに戻ったとは怠慢である」

いつもにない調子で叱りつけた。使者はびっくりした。平伏《ひれふ》した。しかし肩のあたりに不満の色がありありと浮いていた。

翌三月四日、細井平洲は麻裃《あさかみしも》を着て登城《とじょう》した。そして治憲に会い、

「このたびの災害ほどめでたいことはございません。君臣一致する大きな機会で

ございます。上杉家興隆はまさにこの時にございます」

と励ました。治憲は微笑して大きくうなずいた。

「まさに先生のおっしゃるとおりです。この災害を福に変えるべく、上杉家一体となって再興につとめます」

と約束した。しかし治憲にはどうしても細井平洲の家がどうなったのか気になった。そこで、

「調査不十分のために先生のお宅まで見届けることができないことをお詫《わ》びいたします。先生、どうかこの際一度江戸にお戻りください」

といった。平洲にしても、直感的に米沢城内のいまの空気がモヤモヤしていて、治憲がせっかく自分を招いてくれたにもかかわらず、学校の再建もはかばかしくなく、正式な講義の開始もいつおこなわれるかわからない状況だったので、

「では、お言葉に甘えてそうさせていただきます」

と応じた。平洲自身、

「米沢城内のモヤモヤの一因は、自分にもある」

と思っていたからである。とくに上層部の動きがおかしい。廊下ですれ違ってもろくな挨拶もしない。まるで仇敵《きゅうてき》でも見るような鋭い眼で平洲を睨《にら》む。眼の底にはあきらかに憎悪の念が燃えていた。それは、

（若き養子藩主をたぶらかす不届きな学者め）

　と告げていた。

　治憲の言葉に従って、細井平洲は明和九年三月十日に米沢を出発した。そして三月十七日に江戸に着いた。戻ってみると自宅は無事だった。つまりかれの塾嚶鳴館も健在だったのである。

　三月十八日に平洲は焼け落ちた米沢藩上杉家の上屋敷桜田邸と焼け残った下屋敷の白金邸にいった。桜田邸には江戸家老《えどがろう》の須田満主《みつたけ》が復興の指揮をとっていた。そこで須田に、

「お国元でお館様からこういう伝言をお預かりしてまいりました。君臣一体となって、この災いを福となすように復興にいそしむように、とのことでございます」

　と、自分が治憲に進言した内容をそのまま治憲の言葉として伝えた。須田は冷淡に、

「たしかに承りました」

　と応じたが、鼻の先にフンという色が漂っていた。須田も細井平洲が嫌いだ。だから、

（こんな焼跡騒ぎのときに、なにを傍観者の学者がノコノコやってきて、ろくで

もないご託を並べるのだ）

という思いがその態度にありありとあらわれていた。しかしこんな対応はいままで平洲は何度も受けている。別に米沢藩上杉家だけではない。四国の西条藩《さいじょうはん》でも受けたし、また紀州徳川家の和歌山藩でも受けた。その点、平洲はいってみればかなりそういう面における防御の皮が厚くなっていた。

　というのは、平洲は常に、

「相手の立場に立って物を考えよう」

と思っている。

だからどんなに自分を憎む相手にしても、

「相手の立場に立ったら、わたしを憎むのも無理はない」

と考えることにしている。しかしそのまま放っておくわけではない。相手が自分を憎むときには、必ず誤解か曲解がある。そうであれば、

「その誤解の源を溶かし、相手が素直に自分をみてくれるように仕向けることも大切だ」

　と思っている。しかし焼跡に立って復興の指揮をとる須田満主に、いまそんなことをいっても逆効果だ。かえって、

「バカ学者め、さっさと去れ！」

と怒鳴られるのが関の山だ。

江戸の嚶鳴館に落ち着いた平洲は、大火後の復興状況を横目でみながら、自分の本務に精を出した。久しぶりに西条藩の江戸藩邸にいき、自分の経験を語った。また友人の伊藤玄沢《いとうげんたく》に、長い手紙を書いて、米沢における上杉治憲の努力、江戸大火の状況、上杉家君臣の一体となった復興努力、自分がもらった褒美の品々のことなども詳しく報じた。

四月十七日に大坂から中井竹山《なかいちくざん》がやってきた。嚶鳴館に平洲を訪問した。中井竹山は、大坂の学者で商人たちの支持によって父・中井甃庵《しゆうあん》が設立した「懐徳堂《かいとくどう》」という学塾の再興につとめたひとである。懐徳堂は、

「商人の・商人による・商人のための学校」

である。珍しい塾だ。

夏になると、上杉治憲が参勤で江戸にやってきた。

さっそく呼ばれた平洲は、治憲に『荀子』の講義をおこなった。以後治憲が滞在中は、毎月四日、九日に進講をつづけた。講義が終わった後、治憲がポツンとこんなことをいった。

「儒医の藁科立沢《わらしなりゆうたく》を罷免《ひめん》いたしました」

「は？」

平洲は思わず眼を上げて治憲を見返した。治憲は静かな眼で平洲を凝視していた。眼の底に、

「先生、わたくしの処分は間違いでしょうか？」

とたずねている。平洲はちょっと吐息を漏らした。しかしすぐ、

「正しいご処置と存じます」

とうなずいた。藁科立沢はなかなか政略性に富んだ医学者で、重臣層の受けがいい。それは重臣層にいろいろと知恵をつけていたからだ。主に新藩主治憲の欠点と、それがおよぼす政治的過ちなどである。

とくに、治憲の周囲にいる竹俣当綱《たけのまたまさつな》ほかの一派を憎んでいた。米沢にいたときも平洲は、この藁科立沢の噂《うわさ》をきいたことがある。主に佐藤文四郎からだった。

佐藤は畳を叩《たた》いて、

「藁科立沢は医者のくせにけしからん存在です。重臣たちをたきつけて、お館様を追い出そうとしております。とんでもない奸物《かんぶつ》です」

と、いまにも藁科を斬《き》り殺さんばかりの勢いを示した。

しかし治憲は平洲にそう慰められてもすぐ心安らかにはならなかったようだ。

平洲が退室するときにもう一度このことに触れ、

「国元で、騒ぎにならなければよろしいのですが」

と眉《まゆ》をひそめた。その一言が平洲の胸に残った。根雪のようにいつまでも溶けない。

（なにか起こるな）

平洲は予感した。この予感は当たる。

翌安永二年四月二十二日に、参勤の任務が解けた上杉治憲は江戸を発し二十九日に米沢城に戻った。

このとき川に架かった福田橋《ふくだばし》を渡った。福田橋は、前年治憲の指揮のもとに君臣一体となって修復をした橋だ。みんなの心がこもっている。そのため治憲は馬から降りて、馬を引かせながら感謝しつつ橋を渡った。ところが江戸から供をしてきた家老の須田満主は、

「バカバカしい」

と脇の部下にことさらなつぶやきを投げ、そのまま平然と馬で渡った。

重臣たちのクーデター

細井平洲に米沢から佐藤文四郎が送ってきた手紙の内容は、のちに上杉家で、「七家《しちけ》騒動」と呼ばれる有名な七人の重臣のクーデターである。佐藤文四郎自身もこの騒動に巻きこまれていた。しかしかれは、その渦中にあっても、

「この騒動の詳細を、誰よりも細井平洲先生に知らせなければならない」

という責務感を持っていた。騒動の間を縫って、次々と手紙を書き急飛脚《きゆうびきやく》に託して届けた。二便、三便とつづく佐藤の手紙の内容を筆者なりに組み立て直すと、次のようになる。

・安永二（一七七三）年六月二十六日の早朝、七人の重臣が突然登城《とじよう》し、藩主の治憲に面会を求めた。

・「こんな早朝からなにごとか？」と訝《いぶか》る治憲に、七人の重臣は、硬い表情のまま分厚い意見書を提出した。

そして、

「すぐこの意見書をお読みください。さらにこの場でわたくしたちの求めるお答えを頂戴《ちょうだい》したい。それまで、われわれはこの座から動きません」

と座りこんだ。治憲は驚いた。

しかし、七人の重臣たちも切羽詰まった表情でまなじりを決している。かれらも真剣なのだ。武士だから、あるいは七人とも、

「きょうは、死を覚悟でお館《やかた》様にご意見申し上げよう」

と相談してきたのにちがいない。その迫力に治憲は呑《の》まれた。しかしここで屈してはならない。相手は七人が気を揃《そろ》えているのでかなりの迫力がある。こっちはたったひとりだ。若い治憲は思わず怯《ひる》んだ。しかしこのときも細井平洲が自分にくれたはなむけの言葉、

「勇なるかな、勇なるかな」

というのを思い出し、グラリと揺れる自分の心を支えた。治憲は分厚い意見書を手に取って読んだ。この間、近習《きんじゅ》の佐藤文四郎は、ピタリと治憲の脇《わき》に座って七人の顔を次々と睨《にら》みつけていた。意見書の書き出しには、

「お館様は、ご当主に就任以来自分のおやりになっていることを大変良いことだと思っておられますが、まったくとんでもないことでございます」

とあった。治憲は眉《まゆ》を寄せた。つづく文章をわかりやすいように整理すると次のようになる。

・お館様のなさることによって民の間に大混乱が起こり、もっか収拾がつきません。

・お館様はご自身のなさっていることをすべて良いと思って夢中になっておいでなので、そういう現場のことがおわかりにならないのです。

・そこで藩政に経験の深いわれわれが冷静にみれば、お館様はじつに乱暴なことをなさっておいでです。

・しかし、それはおそらくお館様のお考えではなく、まわりにいる悪人たちに騙《だま》されていらっしゃるからです。

・それなのに、お館様はわれわれのように正しい意見を持つ者をお退けになって、不忠者だとお考えになり、ひとつもご採用にならないからです。

・おそらく、われわれのような忠臣がどんなに正しい意見を申し上げても、お館様はすぐこのことを悪者たちにお話しになり、いっしょになってわれわれ忠臣を嘲《あざけ》り笑うことでしょう。

・そういうことがよくわかっているので、わたくしたち忠臣はきょうまでなにも申し上げませんでした。しかしもう我慢できません。思い切ってきょうは、ほんとうのことを申し上げます。よくおききください。

一、お館様もご存じのとおり、当上杉家はずっとご正系《せいけい》をもって相続されてまいりました。今回先代がご隠居になったのちも、ご縁者の方が新しいお館様になると思っておりましたが、意外にも他家からあなた様をお迎えになりました。そのため上下の縁も非常に薄いと思います。

そういうことをご認識になるならば、お館様は余計藩政を大事にお考えになって、民が安心できるようなことをなさらなければなりません。にもかかわらず、お館様は民を不安に陥れ、混乱させておいでです。

一、間違いの元は、そもそも竹俣当綱《たけのまたまさつな》を登用したことにあります。かれは小さいときから大変悪知恵の働く男で、みんなから嫌われております。大殿様の時代に失策があって、江戸へ左遷されましたが、そんなこともご存じなく、お館様は重くお用いになっておられます。かれは学問好きのお館様の気質をよく呑みこんでおりますから、うまいことをいってはなんでも文学的な処理をし、お館様をごまかしております。そして竹俣と心を一《いつ》にしているのが、莅戸《のぞき》・木村・倉崎・佐藤・志賀などであります。

一、とくに武士を農民同様に扱ったり、挙句の果ては橋の修理までさせておられます。こんなことは決して良いことではありません。

一、お館様はご自身粗末な食事をつづけられ、絹をやめて木綿などを着ておられますが、そんなことは児戯に類することで、藩政の根本にはなんの関係もありません。そんな小さなことばかりやっておられずに、もっと大きなことをなさらなければ、日本のほかの大名に笑われます。われわれ忠臣も恥ずかしい思いをしております。

そこで次のように要望を申し上げます。

一、お館様のお暮らしぶりを当家の家格に合ったものにお改めください。
一、悪者を退け、真の忠臣をお用いください。
一、いまなさっていること（改革）を中止し、従来どおりの藩政にお戻しください。
一、口先ばかりの理屈をお捨てください。重厚な政策をおとりください。
一、信賞必罰が誤まっていることを深くご認識ください。
一、藩士の中でも口の達者な者ばかりが出世しております。もう少し武士らしく口数少なくほんとうの真心があらわれるような藩風にお改めください。
一、竹俣・莅戸はじめ悪臣を全員ご処分ください。そしてわれわれに藩政をお任せください。われわれほど藩政に通じている者はおりません。

細井平洲にも触れてあった。つまり、細井平洲はいまの財政難時に藩の金食い虫であって、なんの役にも立たず、竹俣たちを煽動《せんどう》しては、良からぬ考えを吹きこんでいること。即刻召し放ち（クビ）にしていただきたい。

そして最後に、

「もしもわたくしどもの申し上げることに筋が立たない、とお考えになるのならどうかお暇《いとま》をいただきたい。われわれはそういう米沢藩ではお役をつづけることができないと思います。われわれはそういう覚悟をしておりますので、どうかわれわれの申し上げることをお用いになるのか、それともお退けになるのか、どちらかをお選びのうえ、ご決断ください」

となかば脅し文句が書かれてあった。

読み終わった治憲はがっくりした。学問の深い治憲が感じたのは、

（この七人のいうことは、すべて竹俣たちへの嫉妬《しっと》と嫌がらせと、自分たちの僻《ひが》み以外なにものでもない）

ということだ。意見書といいながら、建設的な意見はひとつも書いていない。自分たちの憤懣《ふんまん》や不平をただ並べ立てただけだ。結局は、治憲がこの七人たちを重視しないで、竹俣たちを重用《ちょうよう》していることに対し面白くないのである。

同時に治憲が感じたのは、

（これが、藩政を担う重役たちの使う言葉なのか？）

は、と、意見書に書かれた文章の品のなさである。卑しい。しかしその卑しい文章

「文は人なり」

というから、かれらの品性をそのままあらわしているとみることができる。治憲が読み終わったのを確かめると須田と芋川《いもかわ》が代表としてこんなことをいった。

「その意見書には、われわれ七人が名を連ねておりますが、七人だけの意見ではございません」

「どういうことか？」

治憲はきき返す。須田と芋川は、

「藩士全員の意見でございます」

といい放った。治憲はびっくりした。眼を開き、

「それはまことか？」

ふたりは昂然《こうぜん》とうなずく。治憲は、

「それは大事だ。となると、わたしひとりの存念で返事をするわけにはまいらぬ。ご先代様に相談してくる。しばし待て」

と立ち上がろうとした。すると芋川が治憲の着物の袂《たもと》をとらえ、

「別にご先代様に相談なさる必要はございません。お館様のご判断で、この場で

「ご決断ください」

といった。その強引さに治憲は当惑した。このとき、佐藤文四郎がいきなりツツーと近寄ると、手刀《しゅとう》で芋川の手を打った。佐藤は武術の達人だから、相当に痛い。芋川は思わず顔をゆがめ手を放した。そして、

「佐藤、きさまなにをするか！」

と怒りの声を上げた。佐藤文四郎はそんな芋川の声には耳も貸さず、

「お館様、すぐご先代様のところへ」

と治憲をうながした。治憲はその間にすぐ廊下に出、走って先代の隠居の間へ急いだ。

先代の重定は老齢なので朝が早い。しかし顔色を変えてとびこんできた治憲の様子に驚いた。ちょうど侍女がいれた茶をすすっていたが、ギクリとして治憲をみた。

「ご当代様、いかがなされた？」

と眉を寄せて治憲をみた。治憲は狼狽《ろうばい》している自分を恥じて、息を整え、その場に正座した。そして意見書をさし出した。

「七人の重役が、このようなものを持ってまいりました。わたくしにすぐ決断せよと迫っております」

「なに」

重定は茶碗《ちゃわん》をおいて意見書を手にし、急いで眼を走らせた。読みすすむうちに、重定の顔にみるみる怒気が浮かんだ。途中何度か、

「けしからぬ、不届き者！」

と怒りの声を挟んだ。読み終わった重定の顔は真っ赤になっている。

「ご当代様」

「はい」

「この七人を即刻切腹させなさい」

「は」

治憲はさすがにためらった。そこでこういった。

「七人の重役は、その意見書の内容に全藩士が賛成していると申しております。まず、わたくしにその確認をさせていただきとうございます」

「確認とは？」

「全藩士を登城させ、大広間でこの意見書を披露したうえで、事実かどうか確かめとうございます」

「もし事実でなかった際は？」

「七人を厳罰に処します」

「そうか、ご当代がそうおっしゃるのならそうしなさい。しかし、そのときはわたしも出席する。米沢藩政は、すべてご当代にお任せしているのだから、あなたの思うようにやりなさい。応援します」

治憲はほっとした。じつをいえば、七人の重臣たちがこんな意見書を出してきたのは腹の中では、

（ご先代もおそらくわれわれを支持してくださるにちがいない）

という思惑があったにちがいない。

だから治憲は廊下を走って重定の部屋へ急ぐときも、頭の中では、

（もしそういう結果が出たら、わたしはさらに孤立する）

と一抹《いちまつ》の不安を持っていた。しかし重定は違った。

「たとえ他家からでも、いったん養子として家督《かとく》を相続させた以上は、養父として自分は全面的に養子のやり方を支持する」

といい切ってくれたのである。頼もしい。治憲をなによりも安心させたのはその重定の態度の底に、

「この重定は、養子殿を信じておりますぞ」

という気持ちがありありと感じられたからである。これが治憲には涙が出るほどうれしかった。じつをいえば養子に入ってから、養父の重定にはいろいろな

噂《うわさ》があった。

「優柔不断である」

「女性好きだ」

「一度決めたことも、反対が強いとすぐクルリと変えてしまう」

などという悪い評判だ。それを信じたわけではなかったが、治憲はやはり重定が上杉家の正統な血筋を引いているので、重臣たちとの結びつきも深い。場合によっては、情にかられて重臣たちの味方をするのではないか、とも疑った。あるいは、

「重臣たちのいい分にも多少道理がある。このへんは、このように改められたらどうか？」

と妥協案を持ち出すのではないかとも思った。しかし重定は違った。七人の重臣の意見書などまったく問題にしていない。読み終わってすぐ、

「これは不平不満の書である。意見でもなんでもない。不届き至極《しごく》」

と言下《げんか》にいった。明快な結論だ。

「お館様のおっしゃる大会議が、大広間で持たれました。この日は、未明から武装した武士たちがお城の各門を固め、勝手な出入りができないような厳重な警戒をいたしました。藩士たちは次々と登城し、大広間に集まりました。七人の重臣

は呼ばれませんでした。それぞれ自宅において謹慎し、門には番兵がつきました。お館様ご入城以来、はじめての事件でございますので城下町は大騒ぎになりました。いったい、お城でなにが起こったのか、とあちこちでヒソヒソ話が起こりました」

佐藤文四郎の手紙には、治憲がいった、

「藩士の全体会議で確かめます」

という会議当日のことがそう書かれていた。読みながら細井平洲は、

(お館様も、思い切ったことをなさる)

と思った。

大広間の正面には、藩主の治憲が座った。そしてその脇に後見人のような形で前藩主重定が座った。重定の表情ははじめから硬い。憤りが次々と噴き出していた。藩士たちはふたりの顔をみくらべながら、

「ご先代は、ずいぶん怒っておいでだ」

とささやき合った。この日、治憲が会議を開いた目的はただひとつである。かれのところに提出された七人の重臣の意見書が、

「七人だけの意見なのか、それとも藩士全員の意見なのか」

ということを確かめるためである。治憲は覚悟していた。それは、

(もしも、この意見書が藩士の全部とはいわないまでも、多くの者の意見であれば、それは尊重せざるを得ない)

ということである。尊重するというのはどういうことか。治憲は腹をくっていた。

「そのときは、藩主の座を去って生家に戻る」

ということである。意見書の最後に書いてあった、

「この意見書に書いた要望をおきき届けいただけないのなら、お館様が去るか、われわれが辞職するかどちらかの道をお選びいただきたい」

という、いわゆる〝二者択一〟のひとつをみずから選びとろうと心を決めていたのである。しかし反対に、この意見書が七人ないしはその同調者である限られた少数者であったときにはどうするか。治憲はこれも腹をくっていた。

「厳罰に処する」

ということだ。その限りにおいて、この意見書の始末については治憲の気持ちは完全に甲か乙かを選ぶことであって、第三の道はない。つまり妥協の道はない。その治憲の胸の中で大きな鐘の音のように響きつづけるのは、師の細井平洲が告げた、

「勇なるかな、勇なるかな」

の言葉だ。勇なるかな、勇なるかなというのは、

「不退転の気持ちをもって、危機に臨みなさい」

ということである。危機に瀕《ひん》したときに怯んで後ずさりをしたり、あるいは逃げ出したりするな、ということだ。ためらいなく、真正面からその危機にぶつかっていきなさい、という教えなのである。治憲はこの言葉にどれだけ勇気づけられたかわからない。自分でも呪文《じゅもん》のように、

「勇なるかな、勇なるかな」

と繰り返した。いまの治憲は決して孤独ではない。江戸の藩邸で知り合った、竹俣当綱など熱心に改革をすすめようという武士が何人かいる。しかし、その何人かの武士はすべて意見書で、

「批判の対象」

として血祭りに上げられている者たちだ。いってみれば上杉治憲はじめ竹俣当綱一派は、重役たちからみれば告発された被告だ。しかし、治憲は細井平洲がいった、

「藩主は常に民の父母でなければならない」

という教えを信条としている。この考えさえしっかりとつかんでいれば、恐れるものはなにもない。つまり、

「米沢藩政は、上杉家の私利私欲のためにおこなっているのではない。藩民の幸福のためにおこなっているのだ。それには藩主は藩民を子としてとらえ、子の悲しみや苦しみを自分の悲しみや苦しみとして受けとめる、親の気持ちが必要なのだ」

という教えは、なんとわかりやすく、またなんと正しい大切な考えだろうか。治憲はこの考えに徹していた。だから、

（この考えさえ胸にしっかり抱《いだ》いていれば、どんな反対勢力に対してもこれを説得する強い武器になる）

と思っていた。治憲は集まった藩士たちに、意見書を宙に掲げながら会議の趣旨を説明した。そして、

「知りたいのは、この意見書が七人の重役とその同調者のものなのか、それともおまえたち全体の意見なのかということだ。忌憚《きたん》のない考えを話して欲しい」

と告げた。治憲の話が終わると重定が発言した。こういった。

「わしがここにきょう座っているのは、おまえたちに睨みをきかせるためではない。わしがいるからといって、いまご当主がおっしゃった意見に加減をするな。思うところをいえ。もちろん、その忌憚のない意見の中には、わしの藩政に対する批判もあろう。これも甘んじて受ける。きょうわしがここに座っているのは、

わしへの批判を封ずるためではない。むしろわし自身が、深い反省をするために自分のやったことに対する反応をきちんと受けとめたいのだ。したがって、きょうのわしはここにいてもじつはいない。かげろうのような存在だと思ってくれ」

一座の中で低い笑い声が起こった。重定が最後にいった、

「わしをかげろうだと思え」

という言葉がおかしかったからである。しかし重定のこの発言が、大広間の空気を和やかにした。張り詰めていた緊張感がわずかながら溶けた。これは治憲にとっても救いだった。治憲は感謝の気持ちを眼の底に湛《たた》えながら、重定に頭を下げた。この重定と治憲の心のいき通いが、大広間に集まった藩士たちにフレッシュな感じを与えた。いままでは陰でコソコソ、

「大殿様も、若いご養子様には不満であるにちがいない」

という噂がかなり流れていたからである。しかしみたところ二人の間にそんな嫌な気配はまったくない。和やかなほんとうの父子のような気持ちのいき通いがある。それが藩士たちの誰にもわかった。藩士たちは誰もが、

（大殿様は、ご養子様を心から信じておいでだ）

と感じた。

会議の運びというのは、単に議論だけではない。また議論の内容だけではない。

列席者が判断するのはやはりその会議の席における一種の空気だ。雰囲気である。それを醸し出すのはなんといっても主催者側における意思統一だ。主催者側の考えがバラバラで、誰がみても、

(あの人とあの人はものすごく仲が悪い。ありありとそれがわかる)

というような状況であれば、会議の運びは必ずギクシャクする。そしてろくな結論は得られない。そこへいくと、きょうの大広間は主催者側にまったくそんな違和感はない。前藩主の重定と新藩主の治憲との間は、ピッタリ呼吸が合っていた。いうところの〝あ・うんの呼吸〟が一分《いちぶ》の隙《すき》もなく合致していたのである。これが大広間に集まった武士たちに大きな安心感を与えた。

「きょうは、なにをいっても大丈夫だ」

と思わせたからである。

上杉重定は先代の藩主だから、広間に集まった多くの藩士たちにとって馴染《なじ》みが深い。怖い殿様でもあり、また親しい殿様でもあった。性癖もよく知っている。重定が現任の藩主だったときには、失敗してきびしく叱《しか》られた連中もたくさんいる。短気な重定は場合によっては打擲《ちようちやく》したりした。したがってそういう体験のある武士たちは、心の一部でやはり重定を恐れていた。

(うっかりしたことをいえば、この場でただちに叱られるだろう)

と不安感も持っている。ところがその重定が、

「きょうのわしはかげろうだ」

といったので、みんなびっくりした。しかし安心した。重定をよく知る連中は思わず、

(大殿様もずいぶんお変わりになったものだ)

と感じた。そしてさらに集まった藩士たちが安心したのは、意見書を出した七人の重役がこの場にいないことである。全員欠席だ。噂によれば、

「お館様は、七人の重役を城に入れないために城門に厳戒体制を布《し》いた」

という。藩士たちにとって、七人の重役もまた苦手な相手だ。かれらがいれば、おそらく会議はスムーズには運ばない。なにか発言があるたびに七人の誰かが必ず異議を唱え、反論する。あるいは、

「身のほどを考えず、なんということをいうのだ!」

と叱りつける。おそらくそうなったときは、七人の重役の勢いにおされて発言者も沈黙するだろう。そうなると会議は紛糾《ふんきゅう》する。しかし七人の重役の誰一人として出席していないことは、藩士たちに自由な発言をさせる雰囲気づくりに大いに役立った。

「この日の会議では、とくに下級武士たちから、意見書には絶対反対です、と声

が多く上がりました。つまり下級武士の多くは、お館様のご改革に賛成だというのです。思い切ってどんどんおすすめください、という意見が多ございました。そうなると、それまで黙っていた中級武士もしまいにはこれに賛同し、自分たちも本心ではご改革に賛成であり、その推進をすすめることによって、米沢城の内部も改革される、という期待を持っていることがわかりました。

お館様の試みは成功したのです。先生のおっしゃる〝心の火種《ひだね》〟が、多くの武士の胸の中で炎を上げておりました。結局、七人の重役がいい立てた意見書が、藩士全員の考えであるということは、まったくのウソだということになりました。お館様はご決断なさいました。それは七人の重臣にきびしい処分をしたことです。処分の理由は、自分たちの意見書が藩士全員の意見であるといって、お館様をはじめ藩士全員に対して虚偽の申し立てをした、ということでした」

佐藤文四郎は、処分の内容も次のように書いていた。

切腹　須田満主《みつたけ》と芋川延親《のぶちか》

隠居閉門・知行《ちぎょう》半分召し上げ　千坂高敦《ちさかたかあつ》・色部照長《いろべてるなが》

隠居閉門・知行の内三百石召し上げ　長尾景明《ながおかげあき》・清野祐秀《きよのひろひで》・平林正在《ひらばやしまさあり》

「こうして一件は落着いたしましたが、やはり後味が悪く、とくに憂鬱《ゆううつ》な気分におなりになったのがお館様でした」

文四郎は直後の上杉治憲の心境をそう述べている。が、文四郎たちは治憲を励ました。

「お館様、よくご決断くださいました。これによって、米沢城内に漂っている暗い空気が一掃されます。お館様は正しいことをなさったのです。どうか自信をお持ちください」

これは竹俣当綱をはじめとする改革推進派すべての気持ちであった。治憲はこの励ましによって微笑《ほほえ》みを浮かべ何度もうなずいた。佐藤文四郎の手紙を読み終わった細井平洲は、

(これが俗にいう〝雨降って地固まる〟ということだな)

と思った。そして、

「もし、自分がその場にいたら?」

と思った。文四郎のいう、

「憂鬱なご気分になられたお館様」

を、どれほどか励ますことができただろう。が、平洲はすぐ首を横に振った。

(いや、わたしがその場にいないほうが良かったのだ)

理由はいくつかある。そのひとつは、

「事態が、より紛糾したかもしれない」

ということである。そしてもうひとつは、

「せっかく、独立独歩でご自身のご決断を実行なさろうとするお館様の気概を、くじいてしまうかもしれない」

ということであった。佐藤文四郎の手紙によって細井平洲は、

「上杉治憲様は、みごとに独立なさった。お一人でも、襲う危難に堂々と対決していくお気持ちを確立なさった」

と感じた。これはうれしい。〝七家騒動〟として、上杉家に長く語り伝えられるこの事件は、安永二年七月一日に処断が下された。

このころ細井平洲は江戸にいて、焼失後新築された上杉家の桜田藩邸に通い、家中の者に『論語』『孟子』などを講義していた。翌安永三年、安永四年もこの状態がつづいた。安永五年の春になると、また佐藤文四郎から手紙がきた。それには、

「神保綱忠様が、江戸に向かいます。先生にご用がございます。お館様からのご指示によるものです。先生が、神保様にお会いするのは、かなり久しゅうございますね」

と書いてあった。平洲は思わず、

(神保殿がわたしに会いにくるのか)

と心を躍らせた。

細井平洲は神保綱忠に特別の思いがあった。神保綱忠は通称を容助《ようすけ》といい、字《あざな》は子廉《しれん》という。父は作兵衛《さくべえ》忠昭《ただあき》といって一刀流《いっとうりゅう》の達人だった。五十騎組・桜田御屋敷将《おやしきしょう》・物頭《ものがしら》・三十人頭をつとめるいわば上杉家の中級武士である。

その子に生まれた綱忠は、子どものころから神童といわれていた。死んだ藁科《わらしな》松伯《しょうはく》を師として学問に励んだ。宝暦《ほうれき》十一（一七六一）年に江戸にいく父に同行し、世子《せいし》として高鍋藩秋月家から養子に入った治憲の学友に選ばれた。このころ、綱忠は細井平洲を知りその門下になった。

明和六（一七六九）年から平洲の塾嚶鳴館で学んだ。平洲は綱忠に特別に目をかけ、やがて嚶鳴館の塾長に選ぶ。そして明和八（一七七一）年の五月に、上杉治憲に乞《こ》われて平洲は米沢にいく。このとき供をしたのが神保綱忠だ。帰国した綱忠は治憲のつくった藩塾松桜館の館長に任命された。

それだけに、平洲は米沢藩のほかの藩士にも愛情を持ったが、神保綱忠にはさらに上乗せした愛情を持っていた。つまり神保綱忠は、平洲が敬愛する上杉治憲の家臣ではあったが、同時にまた平洲の直弟子《じきでし》でもあったからである。しかも、デキのいい弟子で、塾長にするぐらいの信頼感を持っていた。その神保綱忠が江戸にやってくる。平洲は四十九歳になっていたが、少年のように胸を躍らせた。

この点、平洲はまさに、

「幼児のような純粋な心」

を発揮する。うれしいことはうれしい。悲しいことは悲しい、と正直に自分の心持ちを吐露する。

細井平洲がはじめて米沢にいったのは、明和八年のことで、江戸に戻ってきたのは翌明和九年のことである。したがって神保綱忠とはほぼ五年ぶりの面会になる。

「楽しみだ」

平洲は胸をワクワクさせた。神保綱忠は二月中旬に江戸に着いた。早速平洲のところにやってきた。綱忠も満面に喜びの色を浮かべている。平洲は宙を泳ぐようにして迎えた。

「よくおいでなさった」

と声をかけた。綱忠は平伏《ひれふ》し、

「細井平洲先生にも、お健やかにわたらせられ恭悦至極《きようえつしごく》に存じます」

と挨拶《あいさつ》した。平洲は宙で手を振って、

「いやいや、そんな堅い挨拶はおやめくだされ。あなたもお元気でなによりだ。お館様にもお変わりはないか？」

ときいた。例の〝七家騒動〟が頭の隅に引っかかっていたからである。察した綱忠は大きくうなずいた。

「俗にいう〝雨降って地固まる〟という言葉どおりで、お館様は至極お元気であらせられます。ご改革も着々と進んでおります」

「それはなによりです。で、今度あなたのご上京はどのようなご用件で？」

神保綱忠が自分のところを尋ねてくるのには、おそらく上杉治憲から指示された新しい問題があるのだろう、と平洲は推測していた。綱忠はうなずいた。眼を輝かせこういった。

「前回米沢におたずねいただきましたときに、お館様からチラッと申し上げた藩校の件でございます」

「藩校？　とうとう再興されましたか」

平洲はきき返した。綱忠はうなずいた。平洲は記憶していた。米沢藩には先君《せんくん》上杉綱憲が、元禄《げんろく》十（一六九七）年に学問所を建てている。今度、藩主の治憲が藩校に力を注いだのは、

「財政難の折にこそ、人材養成を欠くことができない。それには、学校が必要である」

という意図で、綱憲が建てた学問所を整備拡充した。

「はい、そこで、細井先生に再興した学校の運営方針や、教育の方法についてのお考えを改めて伺ってこい、とお館様から命ぜられました。どうかよろしくご教授のほどお願い申し上げます」

「ほう、それはまた」

「この件に関して、じつは莅戸殿から先生へのお手紙を預かってきております」

そういいながら綱忠は懐から一通の書状を出した。受け取った平洲は、

「ここで拝見してもよろしいか？」

ときいた。綱忠はどうぞと応じた。平洲は莅戸善政の書状を開いた。次のようなことが書かれていた。
・先生もご案内のとおり、学校の再興は前から主張されておりましたが、財政の逼迫《ひっぱく》によって延び延びになっておりました。ようやく今年の春完成いたします。
・学校は、まったくの新築といってよいような建物でございますが、お館様のご意志によって「新設」ではなく「再興」という扱いにいたします。
・学校の建物の設計には、かなり苦心した面がございます。おそらく先生がご覧になれば、必ずご満足がいただけることと存じます。
・重要なのは学校における教育の方法でございます。現在の学者の教育方法は、

単に古文の考証や、解釈に現《うつつ》をぬかしていて、現実生活にはほとんど役に立ちません。
・また、善行者《ぜんこうもの》の表彰についても、この国にたくさんの例があるにもかかわらず、それをまったく黙殺したまま、古代中国の例ばかり大切にしております。これは納得できません。
・そこで、このような教育方法を改め、先生の独自なお考えによる学校の教育方法をご教授いただきたく存じます。学問はあくまでも実用の学でなければならないと愚考いたします。
・そのために神保綱忠がお館様のご指示を受けて参上いたします。よしなにご教導ください。

そんな内容だった。平洲は微笑んだ。心の中で、

(莅戸さんは相変わらずだな)

と思ったからである。相変わらずというのは、莅戸が歯に衣《きぬ》着せずに、

「学者の現状」

を手きびしく批判していたからだ。

「莅戸様のご意志はよくわかりました」

そういって平洲は莅戸の手紙を綱忠に渡した。綱忠はちょっと眉を寄せて平洲

を見返した。眼で、

「他人の手紙をわたくしが読んでもよろしいのですか？」

ときいている。平洲はうなずいた。

「莅戸殿と、あなたとわたしの間に秘密はありません。どうぞ」

うなずいた綱忠は安心して手紙を読んだ。読み終わるとニコリと笑った。

「莅戸様らしいですね」

「そうです。むかしとちっとも変わっておられません」

そう告げた平洲は、ポツンとこんなことをいった。

「以前にも申し上げましたが、一国の領民をおいしいご飯を炊く材料にたとえてみましょう。その場合、藩主は水と米だといえましょう。重役陣は鍋や釜《かま》にあたります。そして、薪《たきぎ》や火はその他の士農工商だと思います。しかしうまい米を炊くためには、なんといっても鍋・釜が重要な道具になります。これを立派に鋳《ちゆう》造《ぞう》するのはふいごです。学校はまさにそのふいごの役を果たします」

「なるほど、そうでした。学校はふいごでございましたね。いい得て妙でございますね」

綱忠は感嘆した。平洲がいま口にしたふいご論は、老子《ろうし》の言葉にある。老子は、

「ふいごの中で、もっとも大切なのは眼にみえる部分ではない。眼にみえない空

間が大事なのだ。あの空間がなければ、ふいごも風を起こして熱い火を生むことはできない」

といった。この言葉が平洲の念頭にあった。前に書いたように米沢藩上杉家の藩校問題については、平洲はずっと考えてきたから、いま口にした内容は決して付け焼刃ではない。五年の歳月を経て実らせたものだ。神保綱忠が感心したのは、平洲のたとえ話だ。

藩主は米と水であり、重臣は鍋・釜であり、そしてその他の士農工商がすべて薪と火になる、といういい方だ。つまり藩主以下、士農工商は一種の、

「奉仕人」

である。ご飯を食べるのはあくまでも民だ。その民においしいご飯を食べてもらうために、藩主以下せっせと職分に応じて、努力をするという意味だ。そして、

「城の藩主以下がそういう気持ちになるためには学ばなければならない。そのためには学校が必要だ。学校は鍋や釜を鋳《い》立《た》てるふいごなのだ」

といういい方は、なんとすばらしいたとえ方だろう。

綱忠は思わず胸の中で、

(これだからこそお館様が細井先生を尊敬なさるのだ)

と思う。このいまの言葉をきいただけで、もう今回の細井平洲訪問の目的は達

せられた、というような気になった。平洲は、

「ちょっとお待ちください」

というと立ち上がった。奥へいってしばらく経つと戻ってきた。手に一冊の冊子を持っている。

「どうぞ」

平洲は冊子を綱忠に渡した。手に取ってみると表紙に、

『建学大意』

と書いてある。平洲は笑いながらいった。

「いま、米だの水だの、鍋だの釜などと申し上げましたが、そのことを記したものです。お館様にさし上げてください」

「ありがとうございます」

綱忠は丁寧に礼をいった。そして、

「驚きました」

と率直な感想を述べた。

「なにがですか？」

平洲は自分の席に座るときいた。綱忠はいった。

「先生のご用意のほどです。ここまで、わが藩の藩校について、いろいろとお考

えいただいているとは思いもしませんでした」

「餅《もち》は餅屋ですよ。そういうことを考えるのがわたくしの役目です。それでなくても、神保殿たちはお館様のご改革をお支えする面で、いろいろとご苦労が多いでしょうから」

そう告げた。綱忠は微笑んだ。平洲の言葉の底に、上杉治憲のもとで悪戦苦闘している忠臣たちの苦労へのいたわりを感じたからである。

「新しい学校の性格について、類《たぐい》まれなお言葉を頂戴し、天にも昇った気でございます。次に、お館様は学校の名を先生におつけいただきたいと申しておりましたが？」

「はい。これも、以前申し上げましたように、興譲館といたしましょう。『一家仁なれば一国仁に興り、一家譲なれば一国譲に興る』です」

打てば響くように平洲はそう答えた。

「『大学』でございましたね」

綱忠はたちまち理解した。

「そうです。興譲とは譲を興すと読みます。譲を興すというのは恭遜《きようそん》の道を修業させるということです」

これを神保綱忠は米沢に戻ってから上杉治憲に報告し、きいた治憲が、

「どうしても細井先生にもう一度米沢へきていただこう」

と思い立つ。米沢にいった平洲は、今度は興譲館の運営に深くかかわり、まず「興譲館学則」をつくる。その冒頭に、

「先生教えを施し、弟子是《これ》に則《のっと》る。温恭《おんきょう》にして自ら虚《むな》しくし、受くる所是極《きわ》む」

と書く。きびしい学則だ。それは、

「先生の教えに対し弟子は絶対に従わなければならない」

という意味だからである。しかし逆に考えれば、

「教師も、また自分の教えに絶対に従うような教育を施さなければならない」

と、教える側に対する義務も課している。この言葉を書いた平洲自筆の扁額《へんがく》が、現在山形県立米沢興譲館高等学校に掲げられている。

平洲はさらに、自分の考えを綱忠に語った。語った内容の骨子《こつし》は、
・貴人や高位高官の人間には、知力が勝《まさ》り、徳行《とくぎょう》に満ちた人物は少ない。
・それに引き替え、無位で貧しい者の中には、知識が人に勝《すぐ》れ、徳行が多い人物が多い。
ということである。

再興（実際には新設）した藩校興譲館の運営方針について、細井平洲の話はさらにつづいた。

・貧しい者の中に勝れた人物が多いのは、一般庶民は親の直接の愛情すなわち「実《まこと》」による、しつけを受けるからである。

・これに引き替え、貴人や高位高官の者は子どものときから、親ではなく家臣の補導役や使用人に囲まれて育つ。しかもわがままになるようにチヤホヤされて甘やかされる。したがって親の〝実の心〟によるしつけをまったく受けない。

・これは〝虚偽軽薄〟の育て方だといっていい。

・こういう子どもは成人しても、決して他人を思いやる〝恕《じょ》の心〟や〝忍びざるの心〟を持たない。他人をみくだす傲慢《ごうまん》な心を育ててしまう。

・そこで、治政《ちせい》の責任を持ち、民の上に立つ者は、まずこの傲慢な心をみずから除き去らなければならない。しかしこのことは口でいうに易《やす》く、おこなうのはなかなか難しい。この傲慢な心を除いて、民の心を自分の心とするような人間に育てるのが、すなわち教育である。

・したがって、興譲館と名づけた藩校における教育は、このようにまず高位者の傲慢な心を除くこと、そして藩主を補佐する者は、単に上からの命令をきくだけではなく、その命令を下に伝える役割も負うので、中間に立つ者としての心得を学ばなければならない。

・下位者は、さらにそのことを民に伝える責任を持つ。

・したがって学校では、高位者・中位者・下位者の三段階に分けた教育をおこなうべきだ。

こう告げた。この限りにおいて、平洲は時代における身分制を否定してはいない。むしろ身分制を、

「天がその人間に与えた職責」

ととらえている。つまりそれぞれの人間は、〝天職〟によって生きる存在なのだ。平洲の信奉《しんぽう》する朱子学《しゅしがく》は、

「大義名分を重んずる」

という骨格を持っている。とくに、

「君臣《くんしん》の別はきびしく立てなければならない」

というのが建て前だ。この限りにおいて、細井平洲は現在のようないわゆる〝民衆主義的発想〟からはかなり遠いところにいた。その意味では、

「人間は平等でなければならない」

という思想が生まれるのは、時代としても、もう少し時間を待たなければならなかった。同時に平洲は、

「教育と実践のケジメ」

をつけていた。平洲が上杉鷹山（治憲）に信頼され、興譲館の指導をおこなうのも、

「あくまでも、米沢藩上杉家の士農工商——四民の精神的基盤を築くことであって、それをどう活用するかは藩公である治憲様の分野である」

と考えていた。つまりかれの考える天職というのは、

「それぞれ分限《ぶんげん》がある」

ということだ。分限があるというのは、

「役割分担をわきまえる」

ということだ。平洲は上杉治憲に対し、

「治者《ちしや》は民の父母でなければならない」

と説いた。これは、

「治者の持つべき心がまえ」

であり、それはあくまでも精神面における考えである。同時に、

「国益(藩益)を生むのは、土地と農民以外ない」

と告げる。これは国益を得るための応報論の根本方針であって、それを具体的にどう展開するかは、やはり治憲の分野になる。平洲は、

「理念の設定と、その理念をどう実現するか」

ということをはっきり弁別していた。つまり平洲は、上杉治憲の藩政改革において、

「改革をおこなう者がどういう心がまえを持たなければいけないか」

という、いまでいえば形而上《けいじじよう》の分野を担当したのであって、どう実現するかという形而下《けいじか》の問題はすべて治憲の判断に任せた。

「そこまでが、わたしの役割だ」

と割り切っていた。

細井平洲が興譲館と命名した藩校の運営方針を示したのが、安永五(一七七六)年の四月中旬のことである。しかし平洲は、言葉だけで自分の考えを述べればいいという考え方は持っていなかった。

「いったことを現地にいって確かめる」

という実証主義者でもあった。この年九月三日に平洲は江戸を出発し、十三日に米沢に着いた。そして、自分が江戸で神保綱忠に告げた言葉の実現状況を確認した。この年は、平洲が米沢にいく前の六月に上杉治憲は参勤交代で江戸におもむいていた。江戸で治憲と十二分な打ち合わせをしたうえで、平洲は米沢に下ったのである。そのまま越年した。翌安永六（一七七七）年の二月七、八、九日の三日間にわたって、平洲はまた領内の小松村にいって農民たちを集め、講和をおこなった。そして、二月二十一日には米沢を出発し、江戸に向かった。三月二日に江戸に着いた。翌三日には、上杉治憲が直々《じきじき》に平洲の家をたずねてきた。そして、

「米沢における興譲館のお扱いについて、ほんとうに先生にはお世話になりました」

と丁重に謝意を表した。このとき治憲は、

「お礼にもなりませんが」

といって銀百枚、縮緬《ちりめん》十五巻、鯛《たい》一懸《かけ》、樽代千疋《たるだいせんびき》を贈った。平洲は恐縮した。

翌三月四日に平洲は、

「昨日は、ほんとうにありがとうございました」

といって、米沢藩の江戸藩邸である桜田の屋敷に答礼におもむいた。じつをいえば、平洲はほっと一息ついていた。つまり前に書いたように、

「上杉治憲公と自分の役割分担」

を区分していたので、藩校興譲館のスタートをみとどけたことが、平洲にとっては、

「自分の役割分担は一応果たした」

という安堵感《あんどかん》があったのである。今後、学校の実際の運営や、そこから育つ武士たちが藩主治憲の方針に従ってどのように活躍するかは、今度は、

「藩主としての治憲の管理」

の問題になる。もっと大きくいえば、

「治憲の具体的な治政」

になるのだ。その面に対して平洲は、

「余計な口出しはできないし、またしない」

という態度を保っていた。そのためか、このころから米沢藩以外の大名家に対し、いろいろと意見をきかれたり指導におもむいたりしている。四国の西条家や、紀州の徳川家などにも出入りしている。あるいは同じ志《こころざし》を持つ学者間の交流を深めた。ただ、上杉家の江戸藩邸においては定期的に講義をつづけた。平洲の名

はしだいに高くなり、故国の尾張藩徳川家でも、安永九年九月に、平洲を藩主の世子《せいし》の侍講《じこう》に迎えている。

このとき、尾張徳川家では単に世子だけではなく、志を持つ藩士数十人に、平洲の講ずる『論語』をきかせている。この講義は非常に評判が良かったので、尾張徳川家では平洲を正式に「藩儒《はんじゅ》」として招くことにした。報酬は三百俵である。尾張徳川家は平洲の月の講義を六回とした。平洲にとってはかなりハードな日程である。しかし故国のことなので平洲は快諾した。したがってこのころの平洲の学究生活は、比較的穏やかに、またスムーズにおこなわれていたといっていい。そんな時期に、米沢の佐藤文四郎から手紙がきた。報告事項はふたつあって、ひとつは、

「竹俣当綱《たけのまたまさつな》様が失脚されたこと」

と書いてあった。理由として、

・竹俣当綱様としては、考えられないことだが、藩公治憲様のおこなっておられるご改革が次々と成功するので、「あの改革はおれがやったのだ」と、各郷村《ごうそん》において吹聴して歩いていること。

・その際、郷村の実力者の家で饗応《きようおう》を受け、はなはだしきはそのまま実力者の家に寝泊りしていること。

・城へ出仕《しゆつし》しなければいけない朝も無視し、夜が明けたにもかかわらず、ロウソクに灯《とも》を点させ、「この灯が点っている間は、まだ夜なのだ。おれが夜だといえば夜は明けていないのだ」などと、傲慢な言葉を口にするようになったこと。

・みかねたお館《やかた》様が、ついに竹俣の職を免じ、閉門を命じたこと。

そんないきさつが書かれていた。平洲は暗い気持ちになった。信じられない。

(あの闊達《かったつ》な竹俣殿が、なぜそんな思い上がった気持ちを持ったのだろうか？)

と竹俣の心情をはかりかねた。佐藤文四郎からきたもうひとつの報告は、平洲に思わず、

「おや？」

と思わせた。それは、

「お館様が、開藩時代の家老《かろう》直江兼続様の事績にご関心をお持ちになっておいでです」

ということだった。平洲は、

(いまどきになって、なぜお館様は直江兼続殿の事績にご関心をお持ちになったのだろうか？)

と疑問を持った。そのいきさつを佐藤文四郎は次のように書いていた。

・ある日、お館様が突然わたくしたちに向かって「当家では、直江兼続殿の法要をおこなっているか？」とおききになった。重職が「おこなっておりません」と応ずると、お館様は「なぜか？」とおききになった。
・そこで重職は「当家が開藩以来、慢性的な赤字財政に苦しむ遠因は、やはり直江兼続殿にございます」と応じた。
・以下は、そのいきさつの説明だ。重職の答えに対し治憲は眉《まゆ》をひそめた——。
「なぜ、慢性赤字の原因が直江殿にあるのだ？」

「お館様もご承知のとおり、開藩直前の上杉家は会津百二十万石を領しておりました。しかしあの際、直江殿は主人上杉景勝様に対し、石田三成に味方するよう進言なさいました。上杉家は石田三成に味方し、敗戦後、罪を問われて徳川家康から罰として、会津百二十万石を没収され、かわりに米沢三十万石を与えられることになりました。つまり、上杉家としては収入が四分の一に減らされたのでございます。これが、現在もつづく上杉家の慢性赤字の遠因になっております」

お館様は眉をひそめておききになりました。

「それは違うのではないか」

「は？」

重職たちは思わずお館様のお顔を見返しました。お館様はこうおっしゃいました。

「おまえたちの話をそのまま素直に受けとめれば、では、当時直江殿に対する家中の批判・非難はすさまじいものがあったのだな？」

「さようでございます。上杉家がこういう悲運にみまわれたのも、すべて直江殿の景勝様に対する進言が原因だ、ということで、当時の直江殿に対しては家中の大半が非難のツブテを投げました」

「それで、直江殿は？」

「非難をものともせず、じっと耐えて今日の上杉家経営の根本を定めたのでございます。しかし、あのときに受けた赤字財政の傷は癒《いや》されず、現在に及んでおります」

「おまえたちも、そう考えているのか？」

「はい、そのとおりでございます」

うなずく重職たちをみながら、お館様はこうおっしゃいました。

「よいか、ものごとをすすめるうえにおいて、頂点に立つ者と補佐する者との責任には役割分担がある。頂点に立つ者は、ものごとを決定しなければならない。この決定する権限は頂点に立つ者固有のものであって、どんな優秀な補佐役がいようともゆずることはできない。また、補佐する者にも限界があって、こうすればよろしかろうという案を提示することはできるが、みずから決定することはできない」

こうおっしゃって、開藩当時の頂点に立った上杉景勝様と補佐する直江兼続殿の役割分担を次のようにおっしゃいました。

・関ヶ原の合戦《かっせん》に際会した上杉家は、とるべき道として三つあったはずだ。ひとつは、直江兼続の進言どおり上杉家が石田三成の味方をすること。ふたつ目は、上杉家は石田三成を見捨てて徳川家康の味方をすること。そして三つ目は、石田三成にも徳川家康にも味方せず、中立を守ること。

・兼続が上杉景勝殿に進言したのは、一番目の道であって、頂点に立つ景勝殿とすれば、三つの選択肢があった。

・その三つの中から、上杉景勝殿はみずから決定する権限を行使して、最初の道を選ばれた。

・したがって、関ヶ原の合戦において上杉家が石田三成の味方をしたのは、あくまでも頂点に立つ上杉景勝殿の決定によったものであって、決して直江兼続がすべて責任を負うべきことではない。責任の大半は頂点に立った上杉景勝殿にある。したがって直江兼続だけを責めるのは筋違いである。

このお館様のお考えをきいて、重職たちは思わず顔をみあわせました。しかしよく考えてみれば、お館様のおっしゃることはもっともです。不肖《ふしょう》この佐藤文四郎も、改めて目からウロコが落ちる思いがいたしました。お館様はさすがだなと感嘆いたしました。お館様は、

「そういう次第であるから、直江兼続殿の法要を復活するように」

と仰《おお》せられました。そしてその理由として、

「じつをいえば、自分のいまおこなっている改革も、直江兼続殿に教えられることが多いのだ。極端にいえば、自分が展開している改革は、直江兼続殿がおこなったことをそのまま手本にしている面が多い」

さらに、

「ただ、自分の改革が直江殿と違うのは、彼がおこなった改革のうえに、なぜこの改革をおこなうのかという、理念と目的をつけ加えていることだ。その理念と目的は、いうまでもなく細井平洲先生から教えられたものだ」

と仰せられました。

「お館様がおっしゃる細井先生から教えられた改革の理念と目的というのは、いうまでもなく全藩民に〝恕の精神〟と〝忍びざるの心〟を持たせることだ」

ということでございます。

佐藤文四郎はそう書いていた。平洲は読んで、思わず胸を温めた。そして、

（お館様は、そこまで自分の考えを改革の底に流していてくださるのか）

と改めて感動した。

細井平洲は、歴史が好きだ。したがって、佐藤文四郎が書いてきた、

「上杉家における直江兼続の事績」

ということも、一応はわきまえている。関ヶ原の合戦後、会津百二十万石から米沢三十万石に大減収された上杉家の今後について、直江兼続は潔かった。つまり現在でも上杉家の重職たちが持っている、

「上杉家の慢性赤字の遠因は直江山城《やましろ》の関ヶ原合戦時において石田三成に味方したことにある」

という考えは、重職だけではなく一般の藩士の中にもいき渡っているに違いない。したがって当時の直江兼続は完全に孤立し、石を投げられて立ち往生していただろう。しかし平洲は考える。

「にもかかわらず、直江兼続殿は腹を切らなかった」

腹を切らないということは、

「生き恥をさらして責任をとる」

ということである。武士としてこんな屈辱はないだろう。敗戦の責任を問われれば、

「腹を切ってお詫《わ》びする」

といえばすんでしまう。日本人というのはそういうものだ。が、直江兼続は切腹しなかった。

「生き残って、今後の上杉家の基礎を固めることこそが、自分の犯した過ちに対する償いなのだ」

という考えに立った。そのためか米沢三十万石に減収された上杉家の今後の運営について、兼続は主人の上杉景勝にこう頼んだ。

「会津からお連れになる家臣は、ひとりとして解雇することのありませぬように、堅くお願いいたします」

いまでいえば、

「四分の一に会社の利益が減ったけれど、社員をひとりとしてリストラしないで欲しい」

ということである。しかし、

「では、失業をまぬがれた六千人の家臣の生活を今後どう保障するのか」

という切実な問題が襲ってくる。兼続はそれを、

・もちろん、全家中の減給をおこなう。

・減給も、上に減給率を高く、下のほうは低くする。

・しかし、こんな方法だけではなく、米沢における産業を興し、新しい収入の道を開く。
・産業振興は、北限の適用を受けるこの米沢の地において、できるものに付加価値を加え、市場価値を高める工夫をする。
という方法をとった。かれ自身、当時六万石の給与を受けていた。これをいきなり五千石に減らした。四分の一の減給を、自身では十二分の一にしたのである。

かれの考えは、

「重役陣は、四分の一に給与を減らされてもまだ食えるだけの収入を得る。しかし、下級武士が四分の一に減らされたら、たちまち生活に窮する。したがって、上級武士の減給率を高くし、下級武士は極力現給に近い収入が得られるような策を講ずる」

という考えに基づいた。もちろん、当時の重役陣はあげてことさらに、

「おまえのせいでこんな憂《う》き目《め》にあうのだ」

という猛攻撃をおこなったにちがいない。

(しかし、直江殿は耐えたのだ)

細井平洲はそう思う。そしていま平洲が感ずる事はそのまま治憲公もお感じになっているだろう、と思った。

直江兼続は、

「いまこの地（米沢）でできる農作物に、付加価値を加える」

という方法として、次のような策を展開した。
・米沢地域でできる農作物には、楮《こうぞ》・桑・漆《うるし》・紅花《べにばな》などがある。楮は、和紙の生産に活用させた。桑は蚕《かいこ》を飼い、生糸《きいと》を生産するように指導した。紅花は、織物の染色剤として活用させた。漆からは、工芸品の塗料としてではなく、少量の蠟《ろう》を得るように仕向けた。
・従来、青苧《あおそ》は糸の段階で製品として他国に輸出していた。しかし輸入した国では、これを晒《さら》しにしたり（大和国《やまとのくに》）、蚊帳《かや》にしたり（近江国《おうみのくに》）、小千谷縮《おぢやちぢみ》にしたり（越後国）など、それぞれ手を加えている。この技術を積極的に導入するよう指導した。
考えてみれば、いま上杉治憲が展開している産業振興策も、ほとんどこれと同じことをやっている。その意味では、上杉治憲が、

「自分がおこなっている改革の諸策も、直江兼続殿を範にしているのだ」

というのもウソではない。治憲自身はおそらく心からそう思っているにちがいない。だからこそ、

「絶えている、直江殿の法要を復活するように」

といい出したのだ。

歴史的事実として、米沢藩上杉家ではずっと、

「慢性的米沢藩の赤字財政の遠因は、直江兼続にある」

と伝えてきたことに対し、思い切った手を唱え、まったく逆な立場から、

「直江兼続殿こそ、自分が展開している改革諸策の恩人である」

と受けとめる、上杉治憲の勇気に細井平洲は感動した。そして、

(お館様らしい)

と胸を温める。直江兼続と上杉治憲の違いは、

「改革に、理念を設定するかどうか」

というところにある。その理念を上杉治憲は細井平洲の教えからとりこんだ。すなわち、

「全藩民に〝恕の心〟と〝忍びざるの心〟を持ってもらう」

という一事である。上杉治憲は、

「自分が展開する改革は、単に米沢藩の帳簿に生じている赤字をゼロにするだけではない。藩民の心の赤字も克服することだ」

と考えていた。藩民の心の赤字というのは、

「自分さえよければいい、他人などどうなってもいいという利己心である」

と考えた。したがってその利己心を〝心の赤字〟ととらえる治憲は、

「心の赤字を克服するためには、それぞれ藩民のひとりひとりが〝恕の精神〟と
〝忍びざるの心〟を持つことだ」

と思った。この教えを治憲は細井平洲から受けた。こんな改革を展開している大名は、いまの日本にはひとりもいないだろう。そう思うと平洲は上杉治憲という存在に深く接したことに、

「自分の鼻も高い」

と自慢の気持ちさえ持つのである。しかし、その上杉治憲は天明《てんめい》五(一七八五)年二月六日に、三十五歳で突然隠居した。そして、前代重定の実子であった治広《はるひろ》に家督《かとく》をゆずった。このとき有名な、

『伝国《でんこく》の辞』

を治広に与える。『伝国の辞』の内容は、今日的にその文意をたどれば、

「大名とその家臣のために地域住民は存在していない。地域住民のために大名と役人が存在するのだ」

という、いわば〝主権在民〟の発想に基づくものである。

一字一涙――その後の鷹山と平洲

細井平洲が米沢をたずねたことは三回ある。最初は明和八（一七七一）年のことで、これはいってみれば新しく藩主になった上杉治憲（鷹山）の招きで、

「領国米沢と、それにかかわりを持つ地域の実態」

を見学するようなものだった。しかし江戸時代からの門人金子伝五郎が領内小松村の庄屋《しょうや》をしていて、

「ぜひ、村民に先生のご講義をきかせていただきたい」

と熱望したので、治憲の許可を得て小松村にいった。この講義は大評判だった。治憲と平洲によれば、

「まず民に対する講義の結果をみて、米沢城の武士たちにも講義をきかせよう」

といういわば実験だったのである。この講義は大成功だった。ちなみに、この小松村の出身者が作家の井上ひさしさんだときいている。だから井上さんは自分のつくった劇団に「こまつ座」という名をつけていた。同時に、ずいぶん前だが

井上さんは生まれた地域に当時としては最新のサッカー場を寄付したという。当然、上杉鷹山・細井平洲・金子伝五郎の関係を知ってのうえだろう。

二回目に平洲が米沢にいったのは安永五（一七七六）年のことで、このときは鷹山が復興した藩校の設立について、実際に指導をおこなった。学校の名は「興譲館」と名づけられた。これによって、鷹山が展開する藩政改革のいわば〝精神的基盤〟を据えたということだ。翌安永六年二月二十一日に米沢を発って、三月二日に江戸に着いた。以来、ほぼ二十年間、米沢の地を踏むことはなかった。しかしその間も、鷹山からはしばしば平洲に手紙がきた。また、鷹山の腹心である竹俣当綱《たけのまたまさつな》・莅戸善政《のぞきよしまさ》、そして鷹山の近習《きんじゆ》をつとめている佐藤文四郎などから、折々、

「治憲公の近況と、藩政改革の進展状況」

が報告された。平洲個人にとっては、江戸と米沢との距離を隔てていることや、あるいは流れる時の関係などを越えて、

「わたしは常に治憲公のお側《そば》にいる」

という思いをしっかりと持ちつづけていた。したがって、年月や距離によって、隔てられているという感覚はまったくなかった。こういう懐かしい人間関係は、現在でも存在する。つまり、

「お互いに信頼し合う人間同士」

は、別に離れていても、

「いつも一緒にいる」

という気持ちを保たせるのである。


この約二十年間に、平洲自身の消息について書けば、故国の尾張藩との関係がかなり親密になっていた。それは、〝寛政《かんせい》の改革〟を推進した老中《ろうじゅう》筆頭《ひっとう》松平定《まつだいらさだ》信《のぶ》が、非常に学問を重んじ、また、「人の範となるような存在」を重視していたからだ。日本全国における孝子・節婦《せっぷ》・義僕などの善行者《ぜんこうもの》を積極的に表彰した。


また、「大名の模範となるべき人物」を物色して、その筆頭に米沢藩主上杉治憲をあげていた。また定信はひそかに、細井平洲の書いた『嚶鳴館《おうめいかん》遺草《いそう》』などを読んでいた。したがって定信自身も、

「米沢侯《こう》の学師は細井平洲先生である」

ということを認識していた。いままでいう少子化対策・社会福祉・犯罪者の社会復帰などに力を入れていた定信は、平洲の説く、

「治者《ちしゃ》は民の父母である」

という思想に深く感動していた。そしてそれを文字通り実行している米沢藩主上杉治憲に注目していたのである。

「米沢侯こそ大名の模範である」

といって、実際に上杉治憲を表彰したし、また諸大名に、

「米沢侯を手本とせよ」

と告げていた。そんなこともあってだろう、細井平洲は急に地元の尾張侯（尾張藩主徳川氏）から重用されるようになった。これは藩主宗睦《むねちか》が学問熱心で、当時藩校の整備をはかっていたこともある。そのきっかけに、宗睦は自分の世子《せいし》の侍講《じこう》に平洲を登用した。まわりからみれば、

「いまさらなんだ」

というような気持ちを持たせる登用だったが、しかしそんな皮肉なみかたは別にして、門下生はみんな喜んだ。尾張藩の片隅で生まれ、同時にかなり学者としての名を高めていたにもかかわらず、尾張藩からは正式の登用がいままでなかったからである。平洲にすればそんなことはなんの感懐も湧《わ》かない。まわりがいくら、

「いまごろの登用は、遅すぎますよ」

と息巻いても、別にそうだそうだというような共感も湧かない。平洲はもっと行雲流水《こううんりゆうすい》的な淡々たる人生の歩み方をしていたからである。いってみれば、

「招かれればいく、拒まれれば去る」

という境地なのだ。これが安永九（一七八〇）年九月ごろの出来事だった。そしてこの同じころに、米沢の佐藤文四郎から手紙がきて、

「竹俣様が失脚されました」

と告げられた。権力というのは麻薬のようなものだ。いくら自分では、

「そんなふうになってはいけない」

と戒めても、権力の持つ毒性がしだいに人間の精神を壊していく。改革が成功するに従い、上杉治憲の名は上がった。とくに民が、

「温かいお殿様だ」

と治憲を〝名君〟の座に押し上げた。農村を実地に巡回する竹俣当綱は、そういう治憲の名が高まるにつれてしだいに増長するようになった。つまり、

「殿様を今の座に押し上げたのはおれだ。改革の実際の指揮をとっているのもおれだ」

などと吹聴するようになったのである。これが原因となって、竹俣は罷免《ひめん》された。治憲が直接罷免を命じたわけではない。重なる非行が城内の批判の対象となって、竹俣自身もようやく気がついたのである。だからみずから、

「現在のわたくしでは、到底補佐の任をまっとうすることはできません。お暇《いとま》をいただかせてください」

といって、自分から野《や》に下っていった。当時の状況からすると治憲もそれを止めることはできなかった。

「じつに痛恨のいたりです」

佐藤文四郎はそう書いていた。

そして天明五（一七八五）年二月六日に、治憲は突然隠居した。まだ三十五歳だった。あとは世子の治広に継がせた。治広は、治憲の養父重定の実子である。

このことをきいた平洲は、

「おそらく、そのへんに事情があるのだろう」

と推測した。治憲には、御豊《おとよ》という側室がいた。子どもがひとり生まれていた。したがって、まわりでは、

「お館《やかた》様はご実子に後を継がせるのではないか」

というような噂《うわさ》が流れていたのだろう。治憲の突然の隠居は、平洲の考えでは、

（先代のご実子である治広様に早く後をゆずって、城内のつまらぬ噂を消し去りたいのにちがいない）

と推測した。そういう下世話的な推測が当たっているかどうかはわからない。

が、このとき治憲は有名な、『伝国の辞』を治広に与えている。三ヶ条にわたる、

「藩主の心がまえ」だ。その要旨は、

「藩主と城につとめる役人は、領民のために存在するのであって、領民が藩主と役人のために存在しているのではない」

という意味である。現在でいえばあきらかに、

「主権在民」

を示している。そしてもっといえば、これは完全に、

「細井平洲の教えをそのまま藩主の心がまえとし、同時に伝えるべき理念」

である。このことを知らされて平洲はうれしかった。

(そこまで、治憲公はわたしの教えを身につけてくださっていたのか)

という思いが突き上げた。改めて、

「お若いが、お館様はほんとうに立派なお殿様だ」

と思えたのである。しかし治憲は隠居しても、悠々自適の生活は送れなかった。そのころ別邸に住んでいたが、植木の手入れや、池の魚の世話をしているだけではすまない。それは、治広に代が替わってから、まわりを囲む重役たちも交代した。そのために、せっかく治憲が築いた改革の成果が、ほとんどゼロになるような藩改革がおこなわれたためである。新しい重臣たちは、治憲の政策を片っ端からひっくり返した。

「藩校興譲館も閉じられそうです」

と、佐藤文四郎が知らせてきた。さすがに平洲は眉《まゆ》を曇らせた。

（新しい重役たちは、お館様の心根をまったく理解していない。まだ、例の七家《しちけ》騒動と同じように、お館様を小さな大名家からきた養子だという見方をしているのにちがいない。だから、代替わりしたときにこの際とばかり、お館様の改革をすべて否定するのだ）

と思った。快い気持ちはしなかった。米沢藩の古い重臣たちのこれまた古臭い考え方にしがみつく根性が情けなかったのである。それは平洲のいう、

「治者は民の父母である」

という教えを根元から否定するものだったからだ。そんなことをすれば治憲がいくら新しい藩主に、

「民の父母になれ」

といってもムダだし、あの素晴らしい『伝国の辞』も宙に吹きとんでしまう。

しかし、そんな平洲のところに佐藤文四郎からまた手紙がきた。紙の上で字が躍っている。文四郎はおそらくうれしさのあまり筆を執ったにちがいない。内容は、

「ご隠居様が、再び藩政をご指導なさるようになりました」

というものだ。それは——、
・鷹山公（治憲、隠居したのちは鷹山と号していた）が現役時代におすすめにな

った改革が、かなり城内や領内の隅々まで浸透しておりました。
・そのため、お館様の改革を是《ぜ》とする層が立ち上がり、現在の藩政を批判し、反対の声が諸所にあがりました。
・この声を無視するわけにはいかず、治広様もついにご先代の改革を廃止することをおやめになりました。
・そして、改めてご隠居様に、ご出馬を願い、ご指導を仰ぐようになったのです。
・ご隠居様がご提唱になった〝火種《ひだね》運動〟が、領内の隅々にまで達し、領民の胸にも火が燃え盛っていたためだと思います。
「これは、すべて先生のお教えが、米沢藩内に浸透していたせいだと思います」

佐藤文四郎はそう締《し》め括《くく》っていた。

うれしい手紙だった。実は、治憲が隠居する前に、大きな慶事があった。それは、上杉治広の正室として、尾張藩主徳川宗睦の養女純姫《すみひめ》が選ばれ、婚約が整ったことである。

そのころの平洲は、尾張藩侍講だったから、下世話として、

「その仲介の労は細井平洲がとった」

ということになれば面白いのだが、話としてはできすぎの感があるのでここで

は控えておく。しかし、平洲にすればこんなうれしいことはなかったにちがいない。宗睦にしても、御三家《ごさんけ》の筆頭家でありながら米沢藩上杉家に対し、

「ご老中筆頭の松平定信様が感動なさるような家なら、たとえ御三家であっても娘を嫁にやる甲斐《かい》がある」

と思ったにちがいない。しかし、これはあきらかに細井平洲の功績である。宗睦も平洲の学者としての実績を高く評価するからこそ、自分の娘を上杉治憲のあとつぎの嫁にする気になったのである。

そんなこともあってか、上杉治憲が、

「平洲先生を、もう一度米沢にお呼びしたい」

といい出した。かつての腹心たちが走りまわって、この実現に奔走した。しかし現在の細井平洲は、尾張藩の藩校明倫堂《めいりんどう》の総裁に選ばれていて、

「尾張徳川家のれっきとした学問の指導者」

である。おいそれとはいかない。昔とは違うのだ。結局、治憲の申し出によって、

「尾張侯のお許しを得よう」

ということになった。治憲の側近たちが走りまわった。しかし尾張宗睦にしてみれば、自分の娘が治憲のあとつぎの嫁なのだから、いってみれば治憲は娘の義

父になる。この申し出は拒めなかった。また宗睦も、

「平洲先生も、米沢が懐かしかろう」

という理解力を持っていた。そこで細井平洲に対し、

「しばし休暇をお取りください。その間に、どうぞ米沢をおたずねください」

と告げた。平洲は感動した。このころ平洲はすでに六十九歳になっていた。米沢に興譲館を設けたときのかれは四十九歳だ。二十年経っている。

「どんなに距離が隔たっていても、わたしは常に治憲公のお側にいる」

とは思っていても、それは観念上のことで実際に米沢の地で治憲と接することに比べれば、比較のしようがない。老齢に達した平洲は子どものように胸を躍らせた。

寛政八（一七九六）年八月二十五日に、細井平洲は江戸を出発した。九月六日に米沢へ到着した。が、直接米沢城に入ったのではなく、治憲自身が近郊まで出迎えに出ていた。普門院という寺の門前で治憲は、いまかいまかと平洲の到着を待ちかねていた。米沢城から一里《り》あまり（四キロ以上）ある関根というところだ。平和でのどかな里である。米沢に向かって左方に一本道が延びている。その突き当たり的な位置に普門院があった。

「ご隠居様が、お出迎えになっておられます」

と案内役の武士から話をきいた平洲は、思わず、

「えっ」

と驚き、すぐ、

「ここで降ろしてください」

と、それまで乗っていた駕籠《かご》から外に出た。武士が驚いて、

「いえ、先生どうかそのままで」

といったが、平洲は首を横に振った。歩いて一本道をたどった。武士のいうとおり、普門院の門前に治憲らしい姿が見えた。手をかざして、こちらを見ている。

(お館様だ)

と、平洲は思わずその姿に胸を躍らせた。近づくにつれて、治憲の姿があきらかになった。治憲は柔らかい笑みを浮かべてじっとこちらをみていた。その姿をみた途端、平洲の胸にはいいようもなく熱いものがこみ上げ、その熱さは眼にまでおよんだ。平洲は思わず、そこに座りこんで、

「お館様」

と、昔日の呼び声を上げようとした。が脇《わき》にいた武士が、

「先生、どうぞ」

というので、そのまま歩きつづけた。近づいた平洲をみて、門前にいた治憲が

じつにうれしそうな表情を浮かべた。

「細井先生」

となつかしそうな声を上げる治憲は、膝《ひざ》のあたりに両手をついて会釈した。さっき正座してお辞儀することを止められた平洲は、同じように膝に両手を当てて深く頭を下げた。

「先生、おなつかしゅうございます」

治憲がいった。平洲は無言だった。顔を上げると両眼に涙がいっぱい溢《あふ》れていた。

「先生、ご息災でなによりでございます。お出迎えに上がりました」

治憲はもう一度そういった。平洲はうなずいた。声が出ない。声のかわりに涙が止めどなく流れる。治憲も泣いていた。距離と時間を隔てて、

「いつもお側にいる」

と考えてきた関係だったが、しかし実際に会うとなると感動の度合いは高まり、無言でしか挨拶《あいさつ》のしようがない。しばらくの間、涙の対面がつづいた。やがて治憲は涙を振り払い、

「ご案内いたします」

と先に立った。そして、

「細井先生のお着きである、ご案内」

と大声で寺内に声を張り上げた。平洲は恐縮した。治憲の供をしてきた武士たちも驚いた。まさか治憲が先に立って、

「ご案内」

などという声を張り上げるとは思わなかったのである。しかし治憲の気持ちを
知る武士たちは、

(それほど、ご隠居様は細井先生をご尊敬になっておられるのだ)

と、いまさらながらに感じた。

外門から中門まで、約三町ばかり(約三百三十メートル)あった。この間治憲
は戻ってきて平洲と並んで歩いた。そして、

「先生にお杖《つえ》を」

と供に命じた。供が杖を持って走り寄ってきた。しかし平洲は辞退した。

「老齢でございますが、まだ大丈夫です。このまま歩かせていただきます」

と告げた。治憲は微笑《ほほえ》んでうなずいた。寺内は坂道だ。治憲はしきりに平洲を
気遣って、ピッタリと平洲に寄り添ったままなにかあればすぐ助けようという身
構えだった。つまり治憲は、

(細井先生が、杖をお使いにならないのならば、自分が杖のかわりになろう)

と考えていたのである。対面の座として用意されていたのが、本堂からやや右寄りの一室であった。ここで改めて治憲は、平洲に、

「遠来の長旅、誠にご苦労でございました」

と挨拶した。軽い食膳《しょくぜん》が出された。酒も用意されている。

「まず、どうぞ」

治憲はみずから銚子《ちょうし》を取って、平洲の持つ杯に注《つ》いだ。そのまま自分の杯にも注ぐ。なつかしい乾杯であった。普門院の一室で、師弟の懐旧談がつづいた。普門院は、米沢藩主が参勤交代のときに休憩所にしている寺である。上杉家とは馴《な》染《じ》みが深い。住職が気をきかせて、この一室を師弟再会の間に用意したのである。

話は尽きない。しかし供の武士の目配せで、治憲は平洲にいった。

「語り尽くせません。わたくしの別邸でつづきを話しましょう」

そう告げて、米沢城への帰城をすることにした。

帰り道、夕暮れの道の両側に、たくさんの領民が膝をついていた。そして、老若男女を問わず領民たちは、治憲の姿をみると深く頭を下げた。なかには手を合わせて拝む者もいた。平洲は感動した。

（お館様のご善政が、ここまで染み透ったのだ）

そう感じた。そうなるためには、治憲だけではなく米沢城の武士たちも治憲の

告げた、〝火種運動〟を、積極的に推進したのにちがいない。米沢城の武士たちの火種が激しい炎となって燃え、それが領民たちの胸に飛び火をしたのである。

それは、

「治憲の、民思いの改革の火」

であった。領民たちはまさしく上杉治憲を、

「自分たちの父」

として慕っていたのである。

自分を拝む領民たちに治憲は、

「わかった、手をあげなさい。いつまでもそんなところに座っていると風邪《かぜ》を引く。まもなく夜になるからすぐ家に帰りなさい」

と、ひとりひとりにやさしい声をかけて通った。その言葉をきいて、

「ご隠居様！」

と叫ぶような声をあげて、泣き伏す農民もいた。細井平洲は思った。

(この国に住む民は、日本一幸福なのではないか。いや、幸福なのだ)

老いた平洲の速度に合わせるように、治憲はユックリと歩いていく。領民にすれば、そういう治憲が余計慕わしい。

治憲と平洲は、やがて米沢への本道へかかると、治憲は馬に乗り平洲は用意さ

れた駕籠に乗った。平洲を案内する武士がいった。

「先生のお宿として、奥山良助という武士が自分の屋敷を明け渡し、お宿にさせていただいております」

そういった。

「ありがたいことです」

平洲がそう礼をいうと、武士は微笑んでこんなことをいった。

「奥山の庭には、細井先生が泉水がお好きだとおききになったご隠居様が、お手ずから工事の指揮をお取りになって、新しい池を用意してございます」

「えっ」

平洲はびっくりした。そこまで治憲が自分の来訪を待ちかねていたのか、と改めて治憲の気持ちが伝わったからである。

このときは、十月の末まで米沢に滞在した。遊んでいたわけではない。毎日別邸にいっては治憲と藩政に関する話をした。また、要望によって興譲館で講義もおこなった。同時に、遠い里まで出かけて民の要望に従い講話もおこなった。平洲が十月の末に江戸に戻ったのは、米沢の雪が深いからである。

「お名残惜《なごりお》しいことではありますが」

むしろ、江戸へ帰ることをすすめたのは治憲のほうであった。六十九歳の高齢で、平洲がきびしい冬を過ごすのは身体《からだ》のためによくない、と判断したためである。平洲は米沢を発つ。そしてこれが上杉治憲と細井平洲の最後の別れであった。ふたりは二度と会うことはなかった。しかしそれぞれ冥界《めいかい》に旅立ったのちも、ふたりはいつも会いつづけている。

上杉鷹山（治憲）が細井平洲を出迎えた普門院の境内《けいだい》には、この三度目の訪問を記念する碑が建てられている。

「一字一涙」

と彫りこまれている。この四文字が、師弟の信頼を示す言葉として、じつに切なくみる者の胸に迫ってくる。

解　説

松平定知（京都造形芸術大学教授、元ＮＨＫアナウンサー）

あれは二〇〇一年の夏だったから、今から十年前の話である。ＮＨＫ「その時歴史が動いた・上杉鷹山」の番組収録を米沢で行ったことがある。私の米沢行は、この時が初めてだった。一泊二日の旅程だった。「上杉鷹山」とくれば、もちろん番組ゲストは童門冬二さんである。前日と、収録日の午前中、童門さんとご一緒に米沢界隈の鷹山ゆかりの地を訪ね歩き、収録も無事終わった。打ち上げは米沢牛、ということになり、私たちはその日の夕方、米沢市内のすき焼き屋さんに行ったのだった。

この家は歴史を感じさせる由緒ある佇《たたず》まいで、建物の中に蔵があった。ここは江戸末期から、元々は米沢織のご商売をしておられたとか。それを今の形にしたのは平成元年からと聞いた。薄暮の広い庭には、以前雷に打たれてそうなったという、幹《みき》の上の方がぱっくり割れた栗の木が、しかし、しっかり補修されて立派に命脈を保っていた。

あの日以来、とんとご無沙汰をしているが、なぜかこの店が忘れられない。その時の肉の味や建物の佇まいや庭の栗の木なども もちろんその一因だろうが、何といってもそれは、あの日、玄関に出迎えてくださった初対面の女将のご挨拶第一声が印象的だったせいだろうと思う。童門先生とこのお店は昔からの馴染《なじ》みで、今日この日、私たちと行くかも知れないということは前もってお話になっていたのかもしれない。そして私が、徳川家康に関係する男ということも（私は、家康の異父弟の嫡男を祖とする伊予・久松松平の直系、ではなく、その傍流の末裔に過ぎないのだから、特にどうってことのない男なのだが……）、事前に童門さんからお話があったのだろうとは思うが、その時、女将は、私を見て開口一番、こう言われた。

「ようこそおいで下さいました。お待ち申し上げておりました。でも、私ども、いまでもお恨み申し上げておりますのよ」

＊　＊　＊

上杉謙信が脳溢血で倒れたのが一五七八年三月九日。前の年の秋九月二十三日、信長軍との手取川の戦いで勝利を収め、兵士とともに意気揚々と一旦春日山城に帰り、その年の雪をやり過ごし、春の到来を待って関東管領としての当面の仕事を片付けたあと、本格的に信長を成敗してやろうと動き始めた、まさにその矢先のことだった。結局、謙信はそれから四日間、一度も意識を回復することなく三月十三日に息を引き取った。

この、謙信急死に伴っての「相続争い」は、謙信の姉（仙洞院。仙桃院とも）の息子、つまり謙信の甥にあたる上杉景勝と、実子がない謙信が養子の一人にと貰い受けた、戦国大名のハシリと言われた伊勢新九郎が礎を築いて以後、五代・百年にわたって続いた後北条王国の四代目当主、北条氏政の弟・氏秀（養子名は景虎）との戦いになった。この、「御館《おたて》の乱」と言われる「謙信の跡目相続争い」は、景勝の腹心・直江兼続の抜群の働きで景勝側が勝利するのだが、その、主従の動きを遠い都から、じいっと見ていた男がいた。秀吉の腹心・石田三成である。

この三成の手引きで、一五八五年、越後と越中の国境近くの「落水」という所で、秀吉・三成と景勝・兼続の四者会談が開かれることになった。三成はそれまでに何度となく、景勝・兼続主従の力量と「人となり」を秀吉にレクチャーしてきていたのだろう、それもあってか秀吉はこの主従を、初対面にもかかわらず極めて高く評価した。秀吉はこのすぐあと、兼続には佐渡金山の奉行を命じ、豊臣姓を名乗ることを許したし、景勝にも何くれとなく気を配った。

やがて、景勝は小早川隆景亡き後の五大老に抜擢され、秀吉政権を支える集団指導体制の最高機関に組み入れられたのであったが、その翌年の一五九八年。秀吉が二回目の朝鮮半島侵略を行っていたころ、景勝に突然の、国替えの沙汰があった。越後から会津へ移れ、というのである。景勝にとっては青天の霹靂《へきれき》だった。それまでの「越後」は、上杉氏相伝の地であり、家臣も多くが越後出身である。だから、これには簡単に承服しかねると景勝は思った。しかし相手は天下人であった。景勝がいくら思っても秀吉の意思が変わるはずもなかった。そのかわり（と言ってしまっては語弊があるが）、この時、秀吉から提示された景勝の石高は、会津七十四万石に、出羽長井郡の十八万石、これに旧領のうち庄内と佐渡の二十八万石を加えた百二十万石であった。百万をこすこと二十万石。超大大名の誕生であった。

しかし、その年の八月十八日、秀吉は死ぬ。景勝・兼続主従の先行きはそれに伴い暗転する。秀吉政権下での景勝・兼続主従の「有りよう」は、関ヶ原合戦での彼らの「立ち位置」にも関係してくるし、家康に宛てた、いわゆる『直江状』の影響もあった。上杉家は家康によって、会津・庄内・佐渡の九十万石を一気に没収される。残されたのは三十万石だけ。しかしこの時、家康は彼なりに何か思うところがあったのだろう、この主従を殺しはしなかった。命とひきかえに、四分の一の身上《しんしょう》で、さあ、お手並み拝見、といったところだっただろうか。

収入の四分の三を没収され、しかも米沢という新しい領地に転出することになった上杉家。しかし、景勝・兼続主従は一人のリストラもせず家臣たちをそのまま雇い続けた。当然、困窮の日々は続く。彼らは、まず、日々の暮らしに不可欠な生活用水を確保するため、取り急ぎ水路の確保から始めた。「生き抜くため」には、やらなければならないことは山ほどあった。稲作のための農業用水の確保、堤防の建設、灌漑施設の構築、道路の整備、伐採、開墾等々（庭に植える木々は食用に供することができるものといった風に、樹木の選定などの細かいことにも腐心した）、その全てを人の手を借りず、みんな自分たちでやったのである。

　更にその後、「世継ぎの準備を怠った」ことへのペナルティー（藩主が急死して、しかも世継ぎの準備がゼロの場合は、その時点でお家断絶が「決まり」だったが、名門・上杉家を取り潰すわけにもいかず、石高半減措置で落着）もあって、石高は更に十五万石に半減する。つまり、景勝全盛時の百二十万石の、実に、八分の一になってしまったのである。

　それもこれも元はと言えば、そもそも石高を四分の一にした家康が憎い、更にそのまた半分に削った幕府の掟《おきて》が憎い、その筆舌に尽くし難い窮乏生活に耐えながら、上杉家ゆかりの米沢の人々は、ずっと、家康を「お恨み申し上げ」続けていた。だから、女将のあの時のあの挨拶は当然のことだったのである。

上杉景勝・直江兼続主従の話が出たついでに、もう少し、寄り道を許していただきたい。さあ今度は何の「余談」かというと、それは「忠臣蔵」での天下の悪役、あの、吉良上野介に関するもので、この吉良上野介は、あの上杉景勝と「縁続き」だったというお話である。

＊　　　＊　　　＊

景勝が謙信の姉の息子、つまり謙信の甥であるということは前にも書いたが、その景勝のあと上杉家は定勝、綱勝と続く。その綱勝には妹がいた。名を三姫（参姫とも。俗名・上杉富子。梅嶺院）という。その三姫の連れ合いが吉良上野介である。上野介は、あの謙信と直接の血の繋がりはないが、「縁続き」と書いた所以《ゆえん》である。上野介と三姫との間の子供、綱憲は、綱勝のあとの上杉家の当主になるから、上野介は謙信以来の上杉家の本家当主の実父ということになる。

吉良家の領地は愛知県南部、三河国吉良地方。上野介は二十八歳の時、父のあと、高家（徳川幕府の儀式や、主に朝廷関係の祭礼を司ることを世職とした家）を継いだ。しかも吉良家はその高家の中でも筆頭に位した。だから幾度か将軍の名代を勤めたりもした。その仕事の傍ら、自分の領地内に堤を築いたり、新田開発などを積極的に行ったりして人々の生活の安定を図り、領民からは名君と慕われた人物であった。

私は前から、あの忠臣蔵「物語」での、上野介の扱いは不当だと思っていた。別にこの小稿を書くために急にそう思ったのではない。私だけでなく多くの方がそうご指摘なさるように、あの際、非難さるべきは、むしろ「諸々の作法」を知らない内匠頭の「常識」の方ではなかったか。

江戸・本所松坂町の吉良邸で、彼の首級が大石内蔵助たちの手によってあげられたのが一七〇二（元禄十五）年極月（十二月）半ばの十四日。それからほぼ半世紀後の五一（宝暦元）年に日向国・高鍋藩の秋月家の次男として江戸に生まれたのが、のちの上杉治憲（号は鷹山）であった。彼は十歳の時に当時の米沢藩主・上杉重定の養子になり、十七歳の時に家督を相続し、藩主になった。率先垂範の超節倹政策や重臣・竹俣当綱を中心にした「漆・百万本植樹プロジェクト」などを実践したが、必ずしも思うようにいかず、浅間山の噴火による大飢饉もあって、藩政改革は頓挫した。

治憲（鷹山）は藩主の座を重定の四男治広に譲り、三十五歳で隠居の身となった。しかし困窮する米沢を再建するための藩政改革の灯は鷹山の中では消えることがなかった。隠居して五年後の一七九〇（寛政二）年、鷹山は周囲の要請もあって、再びの財政改革に立ち上がる。今度は莅戸善政を中心に「養蚕プロジェクト」などを展開、結果この桑植樹運動は養蚕業の発展に繋がり、やがて「米沢織」は藩士の暮らしを支える新しい産業として発展する。そしてそれは、米沢を代表する地場産業の一つとして平成の今日まで続くのである。

時には、既得権を持つ守旧勢力の抵抗とも対峙《たいじ》しながら、膨大な赤字財政の健全化に邁進《まいしん》した藩政改革の間中、鷹山を自ら奮い立たせた揺るぎないバックボーンは何だったのか、精神的拠り所はどこにあったのか、そして、彼の改革の基本的理念は、一体どこから来たのだろうか。彼の場合、その全てのものが一人の人物に帰結する。その名は「へいしゅうせんせえ」。

「上杉鷹山の師　細井平洲」、その人、であった。

＊　＊　＊

私が何を提案した時にそういう答えが返ってきたかも忘れてしまうほど、それは、微々たる問題だった（本当は覚えているのだが、それをわざわざここで言うほどのもの、でもない）。ただ、その時の上司の返答はしっかり覚えている。その時上司はこう言った。

「君の言うことはもっともだ。でも、前例がないから、駄目だ」

――規模や影響力の大小に関係なく、およそ「現状を変えるため」の「改革」や「変化」なるものは理不尽な抵抗に晒《さら》されるものだ。上杉鷹山は、守旧勢力との鬩《せめ》ぎ合いの中で、彼らの顔を一人ひとり思い出しながら、「人材育成」の重要性を確信したのだった。鷹山は、藩の教育機関、興譲館創設に心を砕く。その時、鷹山が心から頼りにしたのが、かつて江戸でその講義を聴き、感銘を受けた「細井平洲」だった。「細井先生」は米沢行きを最初は断るが、鷹山の熱意に絆《ほだ》されて同意。加之《しかのみならず》、五年後に再び米沢を訪れ、興譲館創りに力を貸した。

米沢藩士の吉田一夢は藩内にも学者はいるのに、わざわざ他所から招くのは米沢藩に対する侮辱だと「平洲暗殺」を企むが、刺客に背を向けて大勢の聴衆に向かって話しながら一分の隙も見せない「平洲先生」の気迫と自信に刀を抜くことすら出来なかったという。以後、この吉田は「先生」のシンパになる。「細井先生」の街頭演説を聞いた民衆は、話の途中でもそうだが、話を終えて「へいしゅうせんせえ」がその場を去る段になると、みな、感激のあまり平伏して号泣したという。

「細井平洲」の学問における基本理念を、著者・童門冬二さんは、この本の中でこう書いておられる。「学問は、いま生きている自分達に役に立つものでなくてはならぬ」「世間は生きている。理屈の方が死んでいる」「いいものを見、いいものを聞く。何がいいものかを見極める『ものさし』が、学問である」「それをなるべく多くの、普通の人に感じてもらいたい」「学問は、自分が理解できたらそれでよし、というものではない。自分以外の人にもわかってもらうという努力も必要である」――だから、「へいしゅうせんせえ」は外に出た。「室内」ではなく、街頭に出た。講義の場所に人が集まる広場や橋を選んだ。

私は「平洲先生」に、卒然、故・井上ひさしさんを見た。私事で恐縮だが、今から四半世紀前、私が朝のテレビのニュース番組を担当することになった時、私は井上さんに「伝え手」としての心構えを伺ったことがある。それ以前に一度だけ、ラジオ番組でインタビューさせていただいたというだけの関係でありながら、である。その、ラジオでのお話に感銘を受けたとはいえ、今から考えれば何と厚かましく、図々しいことだっただろう。まさに汗顔の至りである。しかも、あろうことか、井上さんは、私の、その不躾《ぶしつけ》な、非礼な、厚かましい問いに、丁寧に答えても下さったのだった。井上さんは、こう仰言《おつしや》った。

「松平さんのような仕事は、自分が分かった、ということだけでは、分かったことにならないんです。松平さんが分かったことを、それを見聞きする全ての視聴者が分からなくては、分かったということ、にはならないんです。だから『難しいことをより易しく、易しいことをより深く、深いことをより面白く』――これだと思います」

「伝わるように伝えること」。これは、その日以降、私の生涯をかけた大命題となる。

この本をお読みのお一人お一人に、それぞれの「へいしゅうせんせえ」がいらっしゃることと思う。童門冬二さんは上杉鷹山研究家でもいらっしゃるから、それは当然といえば当然のことなのだが、それにしても、よくもまあ、この「細井平洲」を主人公に本を書いてみようと思われたものだと思う。氏の変わらぬその視線の確かさに、改めて感じ入っている次第である。

集英社文庫

上杉鷹山《うえすぎようざん》の師《し》 細井《ほそい》平洲《へいしゅう》

2011年12月20日 第1刷
2021年6月23日 第3刷

定価はカバーに表示してあります。

著者 童門冬二《どうもんふゆじ》
発行者 徳永 真
発行所 株式会社 集英社
東京都千代田区一ツ橋2-5-10 〒101-8050
電話 【編集部】03-3230-6095
【読者係】03-3230-6080
【販売部】03-3230-6393(書店専用)

印刷 株式会社 廣済堂
製本 株式会社 廣済堂

フォーマットデザイン アリヤマデザインストア マークデザイン 居山浩二

ISBN978-4-08-746780-2 C0193